D1507253

Dr. CATHERINE DOLTO-TOLITCH

COMMENT ÇA VA LA SANTÉ ?

Un livre de bonne santé pour les enfants et leurs parents

IMAGES VOLKER THEINHARDT

A la mémoire de René Dubos

Sur une idée de Colline Faure-Poirée

© Hachette, Paris - 1984 pour la première édition.
© Hatler, Paris - Juillet 1989
ISBN 2 218 02186 2
ISBN 0758 5926
Imprimé en Espagne par Imprenta Hispano Americana, S.A.

Quand on comprend mieux, on guérit mieux.
Parler du corps c'est aussi parler de soi.

Mode d'emploi

Ce livre parle de la santé. Il raconte l'histoire du corps qui grandit, de son fonctionnement et des maladies que l'on peut rencontrer pendant l'enfance.

Il explique ce qui se passe quand on est malade et aussi ce que l'on peut faire pour se soigner tout seul ou avec l'aide du médecin.

Le sommaire :

Il donne le titre des chapitres et le plan du livre.

L'index :

Il donne par ordre alphabétique la liste des parties du corps et des maladies avec le numéro des pages où les retrouver.

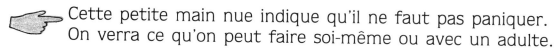 Cette petite main nue indique qu'il ne faut pas paniquer. On verra ce qu'on peut faire soi-même ou avec un adulte.

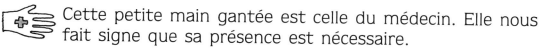 Cette petite main gantée est celle du médecin. Elle nous fait signe que sa présence est nécessaire.

Ce livre peut se lire tout seul ou aussi avec un adulte, ce qui permet de partager les connaissances et les expériences.

Comment ça va ?

Comme ci, comme ça.

Ça va ! Ça va bien ? Ça va très bien !

Ça peut changer d'une heure à l'autre. Ça ne va jamais pareil pour tout le monde. C'est ça l'histoire de la santé. Une histoire différente, unique comme l'empreinte de notre pouce qui ne ressemble à celle de personne d'autre.

On ne soigne pas un ventre, une bouche, mais la bouche de quelqu'un qui suce son pouce ou le ventre de quelqu'un qui a peur du noir.

Il ne faut pas la même santé pour être danseur ou chanteur d'opéra, on peut chanter avec une entorse mais pas question d'entrechats.

Et même l'angine n'est pas la même si elle tombe un jour de fête ou un jour d'école, si elle nous arrive en période de tristesse ou dans un moment heureux. Parfois en se soignant on guérit d'un gros chagrin.

Chaque instant de notre vie est unique, nous changeons sans arrêt. Les cheveux poussent, les dents de lait germent, tombent et d'autres viennent. A chaque instant, des milliers de cellules de notre corps meurent et sont remplacées par des petites sœurs toutes neuves. La santé, c'est aussi l'aventure de ce changement-là.

La santé, c'est comme la marche. On cherche son équilibre à chaque pas. Parfois, on trébuche, on glisse, puis peu à peu on retrouve son équilibre. Les petites maladies sont des façons de trébucher mais il ne faut pas se croire malade dès qu'on a mal quelque part. Parfois, c'est tout simplement le signe que le corps fonctionne.

Un être humain en bonne santé, c'est aussi quelqu'un qui désire des choses dont le corps n'a pas besoin. Quelqu'un qui communique avec les autres. Les rencontres, les échanges, la tendresse lui sont aussi nécessaires que la nourriture et les vitamines.

Et puis ces aventures, nous pouvons les raconter parce que, à la différence des grands singes qui nous ressemblent tant, nous avons le langage et des mains très habiles pour faire des choses compliquées et aussi soigner.

Raconter les plaisirs et les chagrins de la vie avec son corps et ses mots, c'est une façon de les partager. Notre bouche nous sert à manger, à boire, mais aussi à dire que l'on préfère les fraises au beefsteak et la menthe à la grenadine, et aussi à donner des baisers, ce qui est très important. Le corps et les sentiments sont si inséparables qu'on les mélange aussi dans les mots. Les grandes personnes disent souvent « que les enfants les rendent malades » ou bien que notre dernière bêtise « elles ne vont pas la digérer, celle-là ! » Comme si les sottises devaient suivre le chemin de la digestion ! Mais elles disent aussi qu'elles nous aiment de tout leur cœur.

Un beau jour, on s'aperçoit qu'on a fini de grandir mais pas de changer. Le bébé qu'on a été a disparu pour qu'une grande personne naisse. Chaque maladie nous a appris quelque chose, chaque épreuve nous a rendu plus fort, chaque cicatrice est un souvenir qu'on peut caresser.

Catherine Dolto-Tolitch

Sommaire

11

Comment ça va la vie?

Pour tous les gestes de la vie, chanter, danser, travailler mais aussi pour rêver, pleurer, aimer, rire et penser, notre corps a besoin d'énergie. Tout ce qui vit consomme de l'énergie, de l'homme au puceron en passant par la rose, le poisson rouge et la petite bactérie.

A l'intérieur de notre corps, il y a des systèmes qui utilisent et distribuent l'énergie prise dans la nature, l'air, l'eau, la nourriture, puis évacuent les déchets inutilisables pour nous. Ce sont les USINES DE LA VIE. Si elles ne fonctionnent plus, la vie s'arrête. Parfois, il suffit d'un petit microbe ou d'un gros chagrin pour gêner le fonctionnement des usines de la vie. Heureusement, le plus souvent ces petites pannes s'arrangent très bien toutes seules. Quand on va plus mal, les docteurs sont là pour nous aider.

LES USINES DE LA VIE

Pour que la vie passe, s'organise en nous, dans tout notre corps, il y a des organes essentiels qui se partagent le travail.

Les poumons échangent

On ne peut se retenir longtemps de respirer. On devient tout bleu et on se sent très mal : on étouffe. Nous avons besoin de l'oxygène qui est dans l'air pour vivre, c'est dans les poumons que l'air et le sang se rencontrent, le sang prend cet oxygène et le distribue dans notre corps.

Les poumons sont faits de milliers de petits sacs : les alvéoles. Leurs parois sont très fines et entourées de petits vaisseaux. L'air chargé d'oxygène traverse le nez où il se débarrasse des poussières grâce aux poils qui le tapissent. Il continue son voyage par la voie de la trachée, des bronches et des bronchioles avant d'arriver tout chaud dans les alvéoles.

A chaque inspiration, les alvéoles se remplissent d'air et le sang arrive chargé de ses déchets, principalement de gaz carbonique. C'est ce qui le rend plus bleu.

A ce moment-là, le gaz carbonique et l'oxygène de l'air s'échangent en passant à travers les parois des alvéoles. Le sang prend alors sa belle couleur rouge et repart dans le corps avec du bon oxygène à distribuer.

A chaque expiration, on rejette le gaz carbonique.

L'appareil digestif transforme

Il commence à la bouche et se termine à l'anus. Il a un rôle très important puisque c'est lui qui transforme les aliments et les boissons en énergie, un peu comme un moteur de voiture utilise l'essence. Pour utiliser cette nourriture, l'appareil digestif doit la transformer en morceaux minuscules.

La bouche. Le travail commence dans la bouche où nos dents réduisent les aliments en bouillie. C'est aussi dans la bouche que l'on sent le bon ou le mauvais goût des choses grâce aux papilles qui sont à la racine de la langue. Elles ne sont pas jolies, elles ressemblent à de petits boutons, mais sans elles, adieu le plaisir de manger ! Et sans langue, adieu le plaisir de parler ! La bouche est une partie du corps très importante.

L'estomac. Dans l'estomac, cette bouillie est attaquée par les sucs digestifs très acides qui la rendent plus liquide. L'estomac travaille un peu comme un mixer. Quand il a fini, il se contracte très fort et envoie des petites giclées de cette bouillie dans l'intestin.

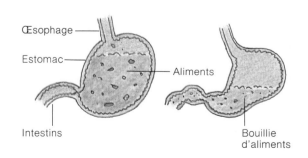

Œsophage — Estomac — Aliments — Intestins — Bouillie d'aliments

L'intestin. C'est l'intestin qui distribue l'énergie dans notre organisme, c'est là que le sang fait sa provision de tout ce qui sert à nourrir et construire le corps. A la fin du voyage, il ne reste plus rien de nutritif dans la bouillie, sauf les déchets qu'on élimine en allant aux cabinets. Ce sont les excréments qu'on appelle selles ou plus simplement le caca. Il sort par le trou qu'on appelle anus.

Le foie. C'est un organe important, il fabrique un liquide qui sert à digérer, la bile, et bien d'autres choses utiles à la vie. Il filtre et purifie le sang.

Il ne fait jamais mal. Quand on dit : J'ai une crise de foie, on l'accuse à tort. C'est en fait à l'intestin, à l'estomac, ou a l'humeur qu'on a mal.

Les reins filtrent

Ils fonctionnent comme des filtres qui servent à débarrasser le sang des déchets qui deviendraient dangereux pour nous s'ils s'accumulaient. Le sang les traverse et il en ressort tout propre. Les déchets, eux, se transforment en urine, qui est évacuée après un séjour dans la vessie. C'est le pipi. Il sort par le trou qu'on appelle méat urinaire.

Le cœur distribue

C'est un muscle très puissant qui met en mouvement le sang dans notre corps et lui permet d'aller dans le moindre recoin par la voie des veines et des artères, en décrivant une grande boucle.

Quand le cœur s'arrête, la vie s'arrête, c'est pour cela qu'il est si précieux. On en parle beaucoup, on le dessine, on dit qu'il est le symbole de l'amour, de la tendresse ; quand on aime très fort, il bat plus vite, on dit alors qu'on aime de tout son cœur.

Le voyage du sang. Le cœur est fait de deux grosses poches, les ventricules et deux plus petites, les oreillettes.

Le sang, qui a parcouru tout le corps, arrive dans l'oreillette droite qui se contracte et le chasse dans le ventricule droit. Le ventricule droit l'envoie dans les poumons d'où il revient tout propre et tout rouge dans l'oreillette gauche.

L'oreillette gauche le passe au ventricule gauche qui, d'un grand coup de pompe, l'envoie se promener dans tout le corps. Chaque battement de notre cœur correspond à cette grande contraction.

Le pouls. C'est ce battement que l'on sent en posant les doigts sur le côté externe du poignet lorsque la paume est tournée vers le ciel. On dit que l'on prend le pouls. Quand le cœur bat plus vite, le pouls est plus rapide.

Les trois grandes « usines » de la vie

Dessin 1 : les reins et la vessie filtrent le sang pour fabriquer l'urine qui emportera les déchets inutiles.

Dessin 2 : le cœur et les poumons prennent l'oxygène dans l'air pour le distribuer partout dans notre corps. A chaque expiration, ils rejettent le gaz carbonique qui est un déchet inutile et dangereux.

Dessin 3 : le système digestif. De la bouche à l'anus. Il permet de transformer les aliments en énergie. Les déchets inutiles sont éliminés sous forme d'excréments : le caca.

Voir double page suivante.

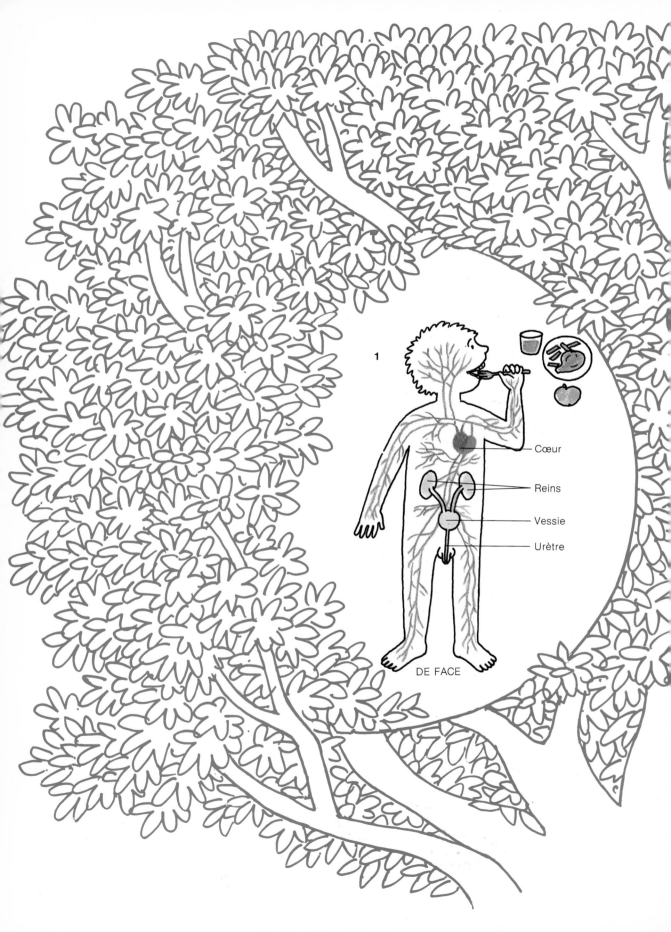

1

Cœur

Reins

Vessie

Urètre

DE FACE

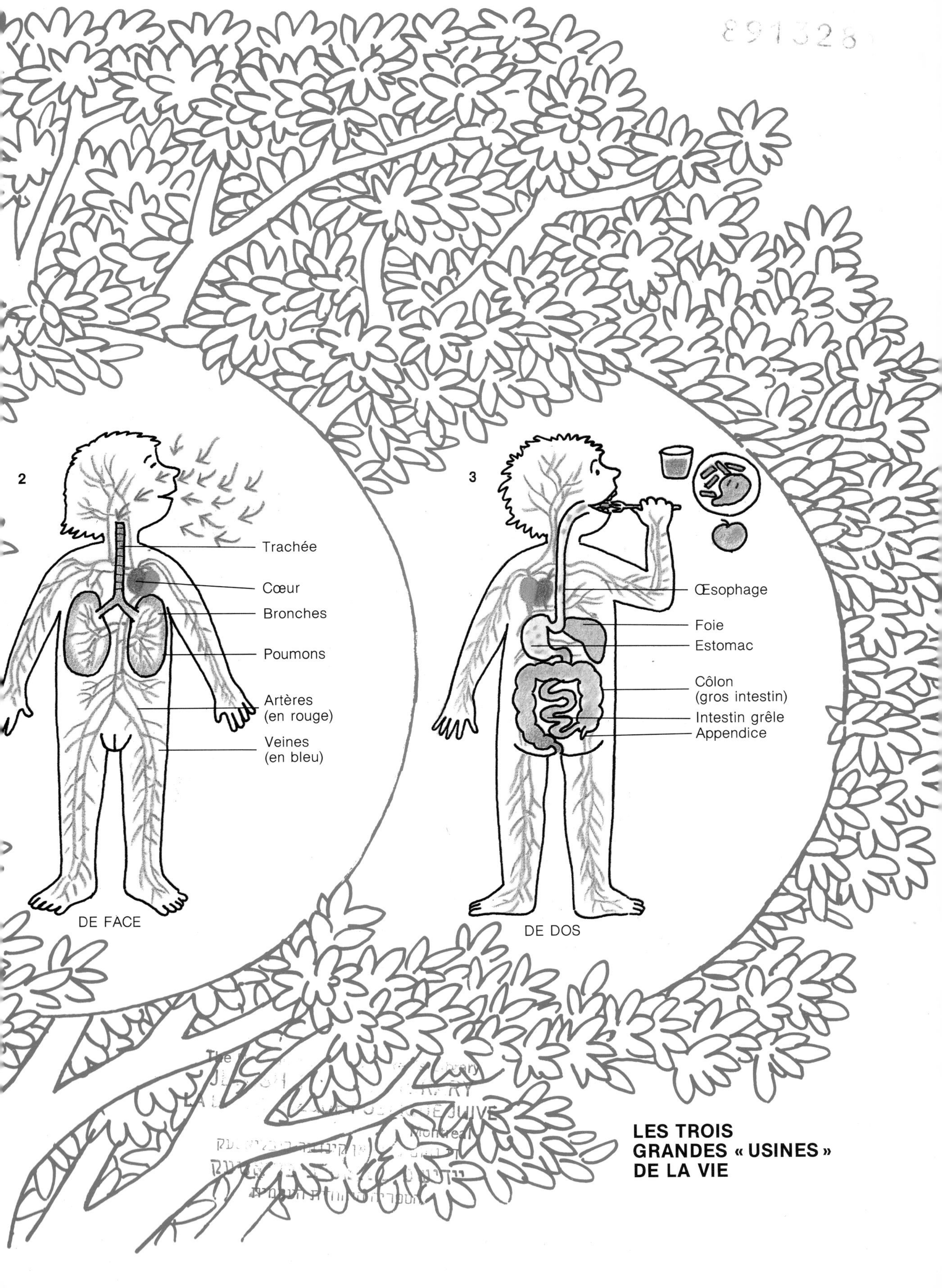

2

Trachée

Cœur

Bronches

Poumons

Artères
(en rouge)

Veines
(en bleu)

DE FACE

3

Œsophage

Foie

Estomac

Côlon
(gros intestin)

Intestin grêle

Appendice

DE DOS

**LES TROIS
GRANDES « USINES »
DE LA VIE**

LES RIVIÈRES DE LA VIE

Le sang et la lymphe transportent. La plus petite partie de notre corps est irriguée par d'innombrables ruisseaux, rivières ou par de grands fleuves qui se chargent de faire circuler la vie dans notre organisme. Ils sont pleins de deux liquides précieux, le sang et la lymphe.

Le sang. Il est constitué de globules rouges et de globules blancs qui flottent dans un liquide transparent, le plasma.

Les globules sont fabriqués par la moelle osseuse qui est au milieu des os. La durée de vie d'un globule est de 120 jours environ, c'est pourquoi la moelle en fabrique sans arrêt.

Les globules blancs servent à nous défendre contre les infections. Les globules rouges sont surtout des véhicules, des porteurs, ou même des livreurs puisqu'ils emmènent l'oxygène partout dans notre corps. Ils se chargent aussi des déchets qu'ils emportent dans les poumons.

Les artères et les veines. Il y en a de toutes tailles. Les unes sont minuscules, d'autres sont très larges comme l'aorte qui sort du cœur.

Il y a une circulation sanguine comme il y a une circulation dans la rue. Les artères transportent le sang rouge et les veines, le sang bleu. Nous avons seulement 3 à 4 litres de sang en tout, mais en 24 heures, ils parcourent tout le circuit plus de mille fois !

La lymphe et les vaisseaux lymphatiques. Les vaisseaux lymphatiques sont d'autres rivières qui doublent complètement le réseau des vaisseaux sanguins et qui se jettent dans les veines. La lymphe est un liquide incolore chargé de globules blancs. Les ganglions sont des petits renflements situés sur le trajet de la lymphe. Ils fabriquent des globules blancs.

LES COMMANDES DE LA VIE

Le système nerveux organise et relie

Pour que toutes les usines fonctionnent sans arrêt, communiquent entre elles, avec nos pensées, avec notre corps et le monde extérieur, il y a un dispositif merveilleux qui reçoit et transmet toutes les informations.

C'est le système nerveux avec des kilomètres de nerfs et, en son centre, le cerveau et la moelle épinière.

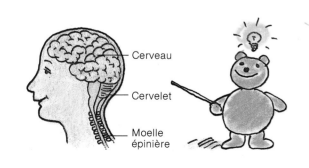

Cerveau

Cervelet

Moelle épinière

Le cerveau. Il est composé de milliards de cellules nerveuses qui forment la matière grise. Il est divisé en deux hémisphères qui comportent plusieurs régions. Une région assure notre équilibre et coordonne nos gestes, une autre organise nos pensées et nos décisions, d'autres correspondent aux organes des sens, l'ouïe, le toucher, la vue, l'odorat, le goût, et au langage. C'est le cerveau qui nous fait penser, rêver, agir, éprouver des grands sentiments.

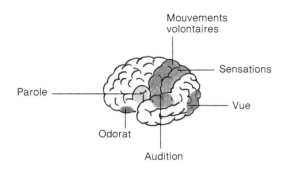

Parole — Mouvements volontaires — Sensations — Vue — Odorat — Audition

Les nerfs. Ils relient le cerveau à de petits récepteurs qui captent l'information partout dans le corps et à l'extérieur et l'envoient au cerveau comme le courant qui passe dans un câble électrique.

Des messages. Par milliers, ils circulent en permanence dans le corps. Le cerveau et la moelle épinière trient et répondent. Certains messages sont contrôlés par notre volonté : il pleut, j'ouvre mon parapluie ; je suis en retard, je cours.

D'autres messages sont incontrôlés : c'est le système nerveux qui s'occupe pour nous du rythme de notre cœur, du travail de nos glandes, de nos muscles, de notre digestion, toutes ces choses qui se font sans arrêt, sans qu'on y pense et qui assurent la vie de notre corps. On a peur : le cœur bat à toute vitesse ou on a la diarrhée. On a faim : la salive coule dans la bouche.

Gaucher - droitier. La partie gauche du cerveau donne des ordres au côté droit de notre corps, la partie droite s'occupe du côté gauche.

Une des parties domine l'autre. En général, c'est la gauche ; c'est pour cela que la majorité des gens sont plus habiles de leur main et leur pied droits. (C'est sans doute de là que vient l'expression « se lever du pied gauche ». Quand on est en colère, on est plus maladroit.) Mais il arrive que ce soit le contraire, on est habile à gauche, on est gaucher.

Ce n'est pas une infirmité, cela n'a pas d'importance, ce qui compte c'est d'être habile avec ses mains et ses pieds. C'est seulement un peu ennuyeux, parce que les objets quotidiens sont faits pour les droitiers, il faut être plus malin pour s'en servir quand on est gaucher.

Surtout ne pas se forcer à écrire avec la main droite si on est gaucher.

LA CROISSANCE

Déjà dans le ventre de sa maman, le bébé a un projet : grandir. Grandir, ça veut dire passer du stade de fœtus à celui de nouveau-né, puis de nourrisson à enfant et d'enfant à adulte.

Mais dès la naissance, nous sommes là avec toute notre intelligence et tout notre cœur.

D'abord on prend du poids et des centimètres et au fur et à mesure, on devient de plus en plus malin, de plus en plus adroit et puis notre corps et notre esprit se transforment et s'affirment : c'est l'adolescence, le passage à l'âge adulte.

Ce qui est amusant, dans la vie, c'est qu'on n'est pas tout seuls à grandir.

Les fleurs, les arbres grandissent aussi. On dit parfois d'un petit bébé qu'il « pousse bien ». Et quand on devient raisonnable, on mûrit.

Un projet : grandir

Pour réaliser ce projet, chaque cellule de notre corps est munie d'une partie intelligente : les chromosomes, qui viennent pour moitié du père et pour moitié de la mère. Les chromosomes sont formés de milliers de gènes. Ce sont les gènes qui gardent en mémoire les informations particulières transmises par les parents.

Il y a le gène de la couleur des yeux, celui des cheveux, de la peau, du poids, de la taille.

Chaque cellule du corps est programmée pour se transformer : les os tendres chez le nourrisson deviennent durs chez l'enfant. En effet, chaque instant de notre vie est unique, nous changeons sans arrêt, des milliers de cellules de notre corps meurent et sont remplacées par des petites sœurs toutes neuves. Nos sens deviennent de plus en plus précis.

Les gènes sont aussi en partie responsables de la durée de notre vie, si des accidents ou des maladies ne viennent pas s'en mêler.

Des amies : les vitamines

Elles sont absolument nécessaires à notre croissance, le corps ne sait pas les fabriquer, il nous faut les prendre dans la nourriture.

On en trouve beaucoup dans les fruits et les légumes.

Il existe plusieurs vitamines : A, B1, B6, B12, C, D, E, chacune sert à quelque chose de spécial.

Nourrir son corps

On peut s'aider soi-même à bien grandir.

Pour construire une maison, il faut de bons matériaux de construction.

Pour le corps, c'est exactement pareil. Certaines nourritures sont essentielles à la construction de notre corps.

Pour bien se développer, il faut manger de tout : des légumes, des fruits, des laitages, de la viande, des œufs.

On peut se passer de viande et de poisson à condition de manger des laitages et des œufs.

Aujourd'hui on mange trop de viande et trop de sucres. Nos ancêtres mangeaient beaucoup plus de céréales : blé, maïs, riz, orge, sarrasin, et peu de sucreries.

Bon petit déjeuner, bonne forme

Une chose est très importante : prendre un petit déjeuner varié avec au moins
— du *lait* ou du *fromage* ou un *œuf*,
— des *céréales* ou des tartines, de *pain complet* de préférence,
— un *fruit* ou un *jus de fruit* pour les vitamines.

Le premier repas met en marche les usines de la digestion et permet d'être bien en forme toute la matinée.
Pour utiliser au mieux les aliments, bien mâcher est très important.

Bien dans sa peau, bien dans son assiette

Parfois on n'est pas heureux de son corps, on se trouve trop gros ou trop maigre. C'est en général parce qu'on se nourrit mal. Notre humeur influence beaucoup notre façon de manger. Quand on est triste ou inquiet, on a souvent envie de se consoler en mangeant (surtout des sucreries).

 En parler avec un médecin qui nous aidera à comprendre ce qui ne va pas.

Nourrir son cœur

Pour bien se développer, il faut de l'attention de la part de ceux qui nous entourent. La nourriture ne suffit pas. Les enfants qu'on a retrouvés dans la nature, élevés par les bêtes sauvages, ne sont pas tout à fait des êtres humains.

Il faut aussi nourrir l'esprit, l'intelligence et le cœur, celui qui sert à aimer. Celui-là se moque bien de la soupe ! Il a surtout besoin de rencontres, il lui faut aussi des vitamines d'amour et d'intelligence. La vie est un mouvement permanent, à chaque instant, il y a des gens qui naissent et des gens qui meurent, le souvenir de ceux qui nous ont aimés reste toujours dans notre cœur et nous aide à grandir pour leur faire honneur.

Qu'est-ce que c'est,
les microbes?

Les bactéries • les virus • les champignons
les moyens de défense naturels • les médicaments • les vaccins

Ce n'est pas drôle de garder le lit à cause d'une toute petite bactérie. Comme vous ne pouvez pas bouger, vous pouvez toujours vous consoler en imaginant les voyages de votre visiteuse. Les bactéries sont voyageuses, c'est là leur moindre défaut. La vôtre vient peut-être tout droit de Tokyo, de New York, des déserts de Tartarie ou de la jungle d'Indonésie. Mais elle aime voyager aussi dans le temps. Qui sait si son dernier client n'a pas été un dinosaure?

L'infection : une bagarre

Les microbes sont parmi les plus petits habitants de la terre. Ils sont aussi les plus nombreux et sans doute les plus anciens. Ils peuvent avoir jusqu'à un milliard de descendants en une seule journée. Ils sont partout, dans l'eau, dans l'air, à l'intérieur de notre corps.

Amis ou ennemis

Sans eux, la vie sur terre ne serait pas possible.

Dans notre corps, certains microbes en suppriment d'autres qui seraient dangereux pour nous. Ils rétablissent l'équilibre. Certains nous protègent et nous aident, sans eux nous ne pourrions pas digérer. Ils travaillent sans cesse à tout transformer. Par exemple, ils font lever le pain et fermenter la bière et le vin. Ils servent aussi à fabriquer des médicaments qui sont les plus dangereux pour eux : les ANTIBIOTIQUES.

Ils sont aussi responsables des infections. L'ennui, c'est que parfois les microbes changent de camp, comme les amis avec lesquels on se fâche. Ils deviennent nos ennemis, c'est l'infection.

L'INFECTION est comme une bagarre qui se déclenche entre notre corps et les mauvais microbes qui veulent l'envahir.

Les trois catégories de microbes :

Les bactéries. Elles sont toutes petites. Elles se reproduisent en se dédoublant à une vitesse extraordinaire. Heureusement, elles sont fragiles et meurent facilement, sinon nous en serions envahis. Mais elles savent vivre au ralenti et attendre le moment favorable pour se reproduire. Elles peuvent attendre des milliers d'années, si elles sont dans de bonnes conditions. Les nôtres ont peut-être connu et infecté des mammouths.

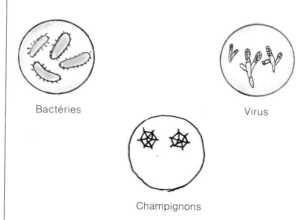

Bactéries

Virus

Champignons

Les virus. Ils sont encore plus petits. Ils ne peuvent pas vivre tout seuls. Ce sont de vrais parasites. Pour vivre et se reproduire, ils doivent entrer dans une cellule et lui voler sa nourriture. Ils sont plus fragiles que les bactéries. Heureusement, car nous n'avons que les vaccins et les sérums pour nous défendre contre leur invasion.

Les champignons. Rien à voir avec les champignons des bois, ils sont microscopiques et provoquent surtout des maladies de la peau et du tube digestif (les mycoses). Ils aiment beaucoup l'humidité, c'est pourquoi on les attrape souvent à la mer ou dans les piscines. Il existe des médicaments contre les champignons.

Barrières de sécurité naturelles

Nous avons des défenses naturelles : la peau, qui est imperméable (sinon, à chaque bain, nous gonflerions comme des éponges).

Dans nos poumons, des petits cils très fins. Ils font un tapis roulant qui entraîne avec lui vers la sortie les microbes et les débris qui passaient par là. La toux et les éternuements donnent un bon coup de balai, eux aussi, et expulsent d'un seul coup des millions de microbes. Les larmes et la salive sont pleines de produits qui participent au grand ménage.

L'attaque

Si les microbes franchissent ces barrières, ils attaquent. D'abord, ils se multiplient tellement vite qu'ils occupent toute la place, en détruisant tout ce qui les gêne. Certains fabriquent une arme liquide dangereuse, la toxine, qui agit comme un poison violent. Ce sont les toxines qui nous font vomir, qui provoquent des diarrhées, ou encore qui colorent notre peau en rouge.

Les moyens de défense naturels

Quand l'attaque est déclenchée, l'alerte est donnée, notre corps réagit et se défend. C'est une course de vitesse qui commence.

La température. Elle monte ou elle descend pour tuer les microbes qui ne peuvent pas vivre ni au-dessus ni en dessous d'une température normale.

Les ganglions. Ce sont de petites forteresses cachées sous la peau, qui gonflent et se durcissent. A l'intérieur, la bataille fait rage entre les microbes et les cellules défensives.

Les globules blancs. La moelle qui est à l'intérieur des os fabrique les globules rouges et les globules blancs.

Il y a plusieurs sortes de globules blancs. Ils ont de drôles de noms : les polynucléaires, les macrophages et les lymphocytes. Leur rôle consiste à se promener un peu partout dans le sang et

dans la lymphe, à l'affût du moindre ennemi. Ils guettent, avalent, digèrent les microbes.

Certains gardent leur signalement pour plus tard.

La moelle osseuse réagit automatiquement, comme un ordinateur : elle augmente la fabrication des globules blancs dès qu'il y a une infection. Le sang et la lymphe se chargent de les transporter sur les lieux de l'infection.

Les défenseurs à mémoire : les anticorps. Pendant l'infection ils viennent se fixer sur le microbe agresseur, ils l'empêchent de se reproduire et de libérer ses toxines.

Là où ils sont formidables, c'est qu'après l'infection ils restent en nous et gardent dans leur mémoire le signalement de l'agresseur et le secret de la formule pour le combattre.

Tous ces moyens de défense forment le système immunitaire qui assure notre protection.

Quand nous naissons, celui-ci n'a pas encore d'expérience et ne connaît pas ses ennemis. Mais plus nous grandissons, plus nous rencontrons de microbes, et plus il fabrique des armes contre les maladies. Et nous résistons de mieux en mieux aux microbes de toutes sortes.

S.O.S. médicaments

Nous ne sommes pas toujours en état de remporter tout seuls la victoire contre la maladie. Il y a des microbes qui sont plus coriaces que d'autres. En plus, la fatigue, l'âge, la saison, notre envie de guérir et notre humeur comptent beaucoup dans le déroulement de la bataille.

Certaines maladies guérissent toutes seules. Pour les autres, il faut appeler à l'aide. Les médicaments viennent alors au secours de nos défenses naturelles.

Les médicaments. De tout temps, les hommes ont cherché dans la nature ce qui pouvait les aider à guérir ou à soulager leur douleur. Notre corps se souvient de ce qu'il a pris pour premier médicament : le lait donné par la maman qui calmait les crampes d'un estomac affamé et nous apportait des moyens de défenses contre les infections. Les médicaments viennent au secours de tout notre corps.

On peut les utiliser localement : les pommades sur la peau, le collyre dans les yeux, les gouttes dans les oreilles, dans le nez.

On peut aussi les avaler : les gélules, les comprimés ou les sirops passent d'abord dans le tube digestif avant d'arriver dans notre sang.

Les piqûres dans un muscle ou dans une veine ont un effet encore plus rapide.

Il y a aussi ces sacrés *suppositoires* qui sont malins comme tout. Mais, il faut le

dire, bien désagréables. L'extrémité de notre tube digestif, le rectum, est très riche en vaisseaux sanguins. Le suppositoire, qui fond très vite à cause de la chaleur, libère tout de suite le médicament qui traverse la paroi des vaisseaux et arrive tout droit dans notre sang.

Les vaccins

Afin d'être protégé contre certaines maladies dangereuses, on se fait vacciner.

C'est un peu comme les grandes manœuvres pour entraîner les soldats avant la guerre. On se bat avec des ennemis un peu moins dangereux que les vrais ! On injecte avec une seringue une petite dose de virus rendu inoffensif, et immédiatement notre corps fabrique des anticorps et en garde la mémoire. Quand le virus passera pour de vrai, notre corps fabriquera à toute vitesse des armées de défenseurs qui empêcheront le virus de nous rendre vraiment malades.

Les petites réactions de fièvre ou de douleur que l'on ressent après un vaccin prouvent que l'organisme est au travail. Ce n'est pas agréable de se faire vacciner, mais c'est formidable de se sentir plus fort que des maladies graves, comme la poliomyélite qui peut paralyser tout notre corps, ou le tétanos qui est presque toujours mortel.

Calendrier des vaccinations.
Le B.C.G. est le vaccin contre la tuberculose.
Selon la loi, il faut vacciner les enfants entre la naissance et trois mois.
Selon les médecins et les circonstances, ces dates peuvent être changées.
Les vaccins contre la diphtérie, le tétanos, la coqueluche, la polyomyélite se font ensemble en 3 injections réparties entre 4, 5 et 6 mois.
Si c'est 4, 6 et 9 mois, ce n'est pas grave.
Rappel au bout d'un an, puis tous les 5 ans pendant toute la vie.
Sauf coqueluche et diphtérie qu'on ne fait plus chez les grandes personnes.

A 15 mois on peut vacciner contre la rougeole, la rubéole, les oreillons.
Ce n'est pas encore obligatoire mais la rougeole et la rubéole sont des maladies bien embêtantes, et si on peut les éviter, c'est mieux.
Le B.C.G. perd de son efficacité d'une façon particulière chez chaque personne.

C'est pour cela que chaque année on fait un petit test : cuti, intradermo, ou timbre pour savoir où il en est.

Cela revient exactement à interroger notre corps pour lui demander :
– Hé, te souviens-tu quand tu as été vacciné contre la tuberculose ?

Les sérums

C'est un concentré d'anticorps. On le fabrique à partir du sang d'un humain et d'un animal malade. On ne s'en sert pas souvent, car ils peuvent provoquer des réactions allergiques (réactions de défense de notre corps contre quelque chose d'étranger) qui sont dangereuses.

Les savons

Le savon, le dentifrice, l'alcool et le mercurochrome sont des ennemis héréditaires pour les microbes. Ils les chassent ou les tuent sur notre peau, sur nos dents et à l'intérieur des plaies que nous nous faisons.

C'est quoi,
les maladies infantiles?

La rougeole • la varicelle • la scarlatine • les oreillons • la roséole
la rubéole • la méningite • la grippe • la coqueluche • l'impétigo.

Ce sont des maladies qui appartiennent aux enfants. Au point que lorsque les adultes les attrapent, elles deviennent plus méchantes. Entre enfants, on se les passe sans cérémonie. Toute une classe qui a la rougeole ou les oreillons, c'est ce qu'on appelle une belle épidémie! Autrefois, les enfants les attrapaient toujours un jour ou l'autre, puis grâce aux anticorps qu'ils fabriquaient, ils étaient protégés toute leur vie. Aujourd'hui les vaccins et les médicaments nous défendent mieux. Mais elles sont toujours là pour nous faire des surprises!

La rougeole

Le *virus* de la rougeole est déjà sur le pied de guerre depuis quinze jours quand, un beau matin, on se réveille tout grognon, avec une grosse fièvre et les yeux qui pleurent. La voix est rauque comme si on avait la gorge pleine de cailloux, on commence à tousser, on n'a pas très faim. Bref, on est malade et il faudra attendre encore trois ou quatre jours pour reconnaître l'envahisseur.

Les boutons : Juste 14 jours après la rencontre avec le virus, des boutons apparaissent. On dirait une multitude de petites mouches rouges qui commencent par attaquer derrière les oreilles et sur le visage, puis qui descendent jusqu'aux pieds. C'est l'éruption. Du coup, la fièvre va baisser, et les petites mouches vont s'envoler une par une, au bout de six à sept jours. Il faut rester bien tranquille en attendant d'être tout à fait guéri. C'est ce qu'on appelle la convalescence.

On ne peut pas attraper la rougeole une deuxième fois, car le corps qui a une mémoire d'éléphant se souviendra toujours de l'invasion du virus de la rougeole.

Les mamans qui ont eu la rougeole prêtent leurs anticorps défenseurs à leur bébé, qui ne risque rien jusqu'à l'âge de 7 ou 8 mois.

Il existe un vaccin contre la rougeole, ce qui est intéressant car c'est une maladie très fatigante.

La varicelle

C'est un petit *virus* qui se développe en cachette pendant 14 ou 21 jours avant de se manifester par une quantité de points rouges qui se transforment en petites cloques remplies d'un liquide transparent.

Les boutons (les cloques) : Ils se nichent partout jusque dans la bouche et parfois à la racine des cheveux. En deux jours, le liquide devient trouble, puis la poche se vide et se dessèche. Il reste une croûte qui va tomber en laissant une petite marque rouge.

Les boutons arrivent en plusieurs vagues, c'est ce qui fait qu'une petite tache toute neuve peut sortir à côté d'une croûte en formation. On dirait des bulles qui gonflent et qui éclatent les unes à côté des autres dans un désordre absolu ! Ça démange beaucoup.

La maladie dure deux semaines et les boutons finissent par disparaître entièrement.

La varicelle change d'un enfant à l'autre : à l'un, elle donnera beaucoup de fièvre et plein de boutons, à l'autre, deux petits boutons en tout et pour tout. Il n'y a ni vaccin ni médicament contre la varicelle, elle passe toute seule.

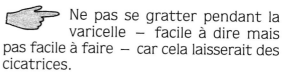 Ne pas se gratter pendant la varicelle – facile à dire mais pas facile à faire – car cela laisserait des cicatrices.

Se couper les ongles court et bien se laver les mains pour chasser les microbes. Se laver le corps avec du savon de

Marseille ou bien un savon liquide désinfectant. Mettre un peu de produit antiseptique pour tuer les microbes sur chaque bouton.

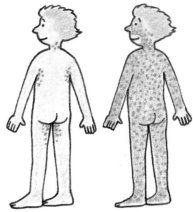 Avertir le médecin quand ça gratte trop, il connaît des poudres, des crèmes et des sirops qui calment les démangeaisons.

On n'attrape la varicelle qu'une seule fois dans sa vie.

La scarlatine

C'est l'histoire d'une *bactérie* qui attrape un *virus* et qui, après, nous infecte. La scarlatine est peu contagieuse mais on peut l'attraper plusieurs fois. Ça commence brutalement avec une fièvre de 39 à 40°. On a mal à la tête et on a la gorge rouge. La langue est blanche avec le bout rouge. Parfois, on vomit. Les plaques rouges commencent un ou deux jours plus tard à la base du cou et aux plis des membres. Deux jours après, on est rouge des pieds à la tête, sauf autour de la bouche, sur les paumes des mains et sous la plante des pieds. On a la peau rugueuse et sèche comme un tissu de grosse laine.

Pendant ce temps, la langue subit des transformations étonnantes ! De blanche au début, elle devient rouge et brillante comme une petite framboise.

Au bout de huit à dix jours, la peau perd sa couleur rouge puis elle part en lambeaux. On pèle comme après un coup de soleil, mais ça ne fait pas mal du tout. On fait peau neuve... et ça dure environ trois semaines.

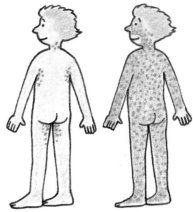 Le médecin donne un antibiotique : la pénicilline. Il faut le prendre au moins dix jours afin d'éviter les complications de la scarlatine qui peuvent atteindre le cœur, les reins ou les articulations si elle n'est pas soignée.

Les oreillons

Contrairement à ce qu'on croit, les oreillons n'ont rien à voir avec les oreilles. Quand la maladie commence, on a mal à la tête, ou bien au ventre ou à la gorge et la température monte. Au bout de deux jours, on commence à gonfler entre une joue et une oreille, derrière l'os de la mâchoire. C'est comme une bosse molle et douloureuse qui nous fait ressembler à un hamster dès que l'autre côté s'y met aussi.

C'est encore la faute d'un *virus* qui est entré dans le corps 15 jours plus tôt et qui s'est développé dans les glandes parotides qui sécrètent la salive et sont situées de chaque côté du cou, derrière les joues. C'est l'inflammation de ces glandes parotides qui les fait gonfler et qui les rend douloureuses : elles se défendent contre le virus.

Il n'y a pas de médicament contre le virus des oreillons et là encore, le temps et le repos sont les meilleurs remèdes. Il vaut mieux que les hommes ou les adolescents qui n'ont pas eu les oreillons ne s'approchent pas du malade, car le virus peut infecter leurs testicules (les boules qui sont sous la verge). C'est ce qu'on appelle une orchite. Cela peut empêcher d'avoir des enfants plus tard, car les testicules fonctionnent moins bien et ne fabriquent plus de spermatozoïdes. Il existe un vaccin contre les oreillons.

La roséole

C'est vraiment une petite maladie de rien du tout mais qui se débrouille pour produire son petit effet quand même ! On ne peut l'avoir qu'entre six mois et deux ans. Cela commence par une forte fièvre sans douleur mais avec seulement des petits ganglions dans le cou. Quand toute la famille commence à s'inquiéter, la fièvre disparaît et cède la place aux boutons.

Les boutons : Ce sont de petites taches roses un peu en relief qui se nichent dans le cou ou sur le tronc. Les boutons ne durent que quelques heures, 48 heures au maximum... et la maladie repart, comme par enchantement. Elle a duré quatre jours en tout. La roséole est une maladie à *virus* contagieuse, mais quand on l'a eue une fois, on est protégé pour toujours. Les anticorps de la mère protègent le bébé.

La rubéole

Elle est due à un *virus*, c'est une maladie qui le plus souvent n'a l'air de rien : un peu de fièvre et quelques boutons. Mais elle est très dangereuse pour les bébés qui sont dans le ventre de leur maman, si celle-ci attrape cette maladie.

Toujours prévenir les femmes enceintes quand il y a une épidémie de rubéole. Il existe un vaccin très efficace que l'on peut faire aux femmes avant qu'elles n'attendent un bébé, si elles n'ont pas eu la rubéole auparavant.

Les méningites

Ce sont des infections des méninges, les enveloppes qui entourent le cerveau. Elles peuvent êtres dues à des *virus* ou à des bactéries.

Autrefois, avant les antibiotiques, c'étaient des maladies très graves et encore bien des grandes personnes en ont très peur.

De nos jours, on sait bien les reconnaître et les soigner et ce ne sont plus des maladies si effrayantes.

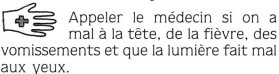 Appeler le médecin si on a mal à la tête, de la fièvre, des vomissements et que la lumière fait mal aux yeux.

La coqueluche

Elle est due à un méchant *virus*. Elle fait beaucoup tousser et vomir et en plus, elle est contagieuse.

Elle est dangereuse pour les bébés qu'elle fatigue beaucoup. Heureusement on ne la rencontre presque plus depuis que tous les bébés sont vaccinés. Il existe en effet un vaccin efficace contre la coqueluche.

La grippe

La grippe est une maladie très maligne, chaque année, elle invente un nouveau *virus*. Elle commence par de la fièvre, des frissons et des douleurs dans les muscles. Souvent, on a mal à la gorge et on tousse. On n'a qu'une envie, rester couché au chaud sans rien faire ! Et ça tombe bien, car c'est justement ce qu'il faut pour guérir ! Il n'y a pas de médicament contre la grippe puisqu'elle est due à un virus. Il existe un vaccin, mais il n'est pas toujours efficace car il y a tous les ans des virus nouveaux.

Le médecin fera baisser la fièvre si elle est trop élevée seulement, car la fièvre est l'ennemie des virus.

L'impétigo

C'est une maladie de la peau due à des *bactéries*. Il n'y a ni fièvre ni douleur. Ça commence un peu comme une varicelle, avec de petits boutons rouges qui se transforment en vésicules remplies de liquide transparent. Puis le liquide se transforme en pus, avant de devenir de vilaines croûtes.

 Ne pas se gratter et bien nettoyer les croûtes avec un antiseptique. Quand elles sont prêtes à tomber, il vaut mieux les retirer.

Si l'impétigo est très étendu, le médecin donnera des antibiotiques.

Comment ça va les yeux?

La myopie • l'hypermétropie • l'astigmatisme • la presbytie
le strabisme • la conjonctivite • l'orgelet

On dit que les yeux sont le miroir de l'âme. C'est une jolie image qui montre à quel point le regard de ceux qui nous entourent est important pour nous. Quand on aime beaucoup quelqu'un, on dit qu'on y tient comme à la prunelle de ses yeux, mais on dit aussi qu'on le suivrait les yeux fermés.

L'œil

La partie visible de l'œil est recouverte par une membrane transparente, la cornée. Au centre de la cornée, il y a l'iris et au milieu une ouverture, la pupille.

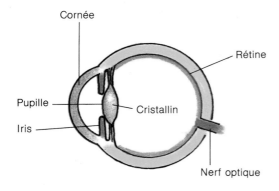

Cornée
Rétine
Pupille
Cristallin
Iris
Nerf optique

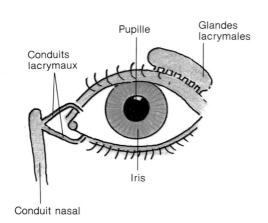

Pupille
Glandes lacrymales
Conduits lacrymaux
Iris
Conduit nasal

L'iris. C'est la partie colorée de nos yeux. C'est comme un petit volet qui s'ouvre plus ou moins selon l'intensité de la lumière. Les pigments colorés apparaissent progressivement sur l'iris, c'est pour cela que tous les bébés ont les yeux bleus au début de leur vie. La couleur de nos yeux dépend des gènes que nous ont transmis nos parents.

La pupille. Au centre de l'iris, il y a un trou noir, la pupille. C'est par là que passent les rayons lumineux qui nous permettent de voir. A travers elle, avec un appareil spécial, on peut voir au fond de l'œil : la rétine et le nerf optique, qui font partie du cerveau.

Le cristallin. C'est une lentille qui se trouve derrière l'iris. Il agit comme un verre de loupe qui serait intelligent. Des petits muscles le font changer de forme selon ce que nous regardons.

Pour voir en relief, il faut que les deux yeux fonctionnent bien, car c'est la rencontre entre ces deux images vues par chaque œil qui donne le relief. On le vérifie en se bouchant un œil.

L'image. Grâce aux rayons lumineux, l'image se forme sur la rétine qui l'analyse avant d'envoyer le message au cerveau par le nerf optique.

Cligner des yeux. Sans arrêt nos yeux envoient au monde des milliers de clins d'œil. Même quand on les croit immobiles, ils ne tiennent pas en place. Les paupières se baissent comme des rideaux et étalent sur nos yeux une pellicule de larmes qui leur évite de se dessécher.

Les rideaux se relèvent si vite qu'on n'a pas l'impression qu'ils sont tombés et le spectacle continue comme si de rien n'était.

Les larmes. Elles sont fabriquées par les glandes lacrymales qui sont au-dessus des yeux. Elles sortent par un petit trou dans l'intérieur de l'œil et tombent dans la gorge. Quand nous avons beaucoup de larmes, le trou minuscule est trop plein et il déborde : nous pleurons.

Poussières et vapeurs. Toutes les poussières et les vapeurs irritent nos yeux. Les glandes lacrymales se mettent à fournir plus d'eau pour le grand lavage. C'est ce qui arrive quand on épluche des oignons ou quand il y a trop de fumée autour de nous.

Chagrins. Personne ne sait pourquoi les glandes lacrymales se mettent au travail énergiquement quand on a de la peine. Peut-être parce qu'elles prennent le chagrin pour une poussière qu'il faut nettoyer à grande eau !

Dans tous les cas, les larmes disent que quelque chose ne va pas en nous. Elle donnent l'alarme en quelque sorte et puis c'est vrai, en partant elles emportent un peu de chagrin.

Les défauts de la vue

Ils sont dus à une anomalie de la forme de l'œil. C'est peut-être pour cela qu'ils ont de si drôles de noms savants.

La myopie. C'est le globe oculaire trop long qui cause la myopie. Les myopes voient très bien ce qui est proche d'eux et flou ce qui est loin. Ils sont obligés de tenir leurs livres très près de leurs yeux pour lire.

L'hypermétropie. C'est tout le contraire de la myopie. Les hypermétropes voient mal de près et très bien de loin. C'est parce que leur œil est trop court et que les images se forment en arrière de la rétine.

L'astigmatisme. Le globe oculaire n'est pas tout à fait rond, et il est plein de bosses et de creux sur sa sphère. C'est gênant pour bien voir les rayures dans un sens ou dans l'autre, ou encore pour lire des notes sur une portée musicale. En vérité, tout le monde est un peu astigmate, car personne n'a un œil parfaitement rond. Mais quand le défaut est très accentué, il faut porter des lunettes.

La presbytie. Presque tous les grands-pères et les grand-mères portent des lunettes pour lire ou pour coudre. C'est parce qu'avec le temps, ils sont devenus presbytes. Leur cristallin est devenu moins élastique et il s'adapte moins bien aux images qu'il doit transmettre.

Le strabisme. Loucher, c'est ne pas avoir les yeux en face des trous.

Le mot savant pour parler des yeux qui louchent, c'est le strabisme. Par exemple, quand ils regardent chacun de leur côté, c'est le strabisme divergent. Quand au contraire, ils restent serrés l'un contre l'autre, comme s'ils ne voulaient plus se quitter, c'est le strabisme convergent, le plus répandu.

Quand on louche, on voit moins bien et c'est ennuyeux. On louche parce que les muscles qui nous servent à bouger les yeux ne travaillent pas ensemble. Il y a des gens qui pensent que c'est parce qu'on ne veut pas regarder la vie en face. C'est peut-être bien vrai.

Consulter un spécialiste. Parfois, il suffit juste de faire faire un peu de gymnastique à ses yeux. Mais d'autres fois, il faut se faire opérer pour raccourcir un muscle trop long ou en déplacer un autre qui n'est pas à sa place. Parfois, quand des choses trop douloureuses à vivre disparaissent de notre vie, la loucherie s'en va avec elles.

Changer la vue :

Les lunettes. Les images sont formées ou déformées suivant la surface transparente qu'elles traversent. Si on regarde à travers une vitre, on voit la réalité telle qu'elle est, mais à travers une loupe, tout est déformé. Quand on connaît les lois de la transmission des images, on peut les modifier comme on veut. Les lunettes sont des lentilles de verre spécialement taillées pour corriger les défauts des yeux.

Elles sont faites sur mesure par les opticiens d'après l'ordonnance du médecin spécialiste des yeux : l'ophtalmologiste.

Il ne faut jamais porter les lunettes de nos amis car elles peuvent être dangereuses pour nos propres yeux. En grandissant, nos yeux évoluent, la vision change... et il faut changer de lunettes.

Les lentilles. Il ne faut pas confondre avec celles qu'on met dans son assiette. D'ailleurs, on appelle les lentilles qu'on pose sur ses yeux des lentilles de contact. Ce sont de minuscules petites rondelles qui se placent directement sur l'œil.

Elles sont si fragiles qu'il faut attendre de grandir et d'être moins turbulent pour pouvoir les porter. Quand on les a sur les yeux, personne ne peut les voir. Par contre, quand on les fait tomber par terre, il faudrait des lunettes pour les retrouver !

La gymnastique des yeux. Parfois on se fatigue beaucoup en lisant ou en regardant des images parce que les muscles qui font bouger nos yeux ne travaillent pas ensemble.

C'est ce qu'on va leur apprendre en leur faisant faire de la gymnastique.

Les maladies des yeux

La conjonctivite. C'est une infection de la petite peau très fine et transparente qui recouvre l'œil. Normalement, elle est invisible mais quand elle est malade, elle devient rouge et douloureuse, un peu comme si on avait du sable sous les paupières. Les yeux se mettent à couler et le matin, ils sont collés.

 Consulter le médecin qui prescrira du collyre à mettre 6 à 8 fois par jour.

Nettoyer les yeux le matin avec de l'eau tiède bouillie ou un collyre spécial.

Éviter de se frotter les yeux pour ne pas les irriter plus et gêner la guérison.

Les orgelets. C'est une infection de la racine d'un cil. Une petite boule rouge

Orgelet

et douloureuse se forme sur la paupière, puis elle devient blanche. C'est le pus qu'on voit à travers la peau.

Attendre que l'orgelet perce tout seul, ce qui se produit toujours. Mais là encore, on peut aider la nature avec des pommades ou du collyre.

Comment ça va les dents?

La carie • l'abcès • les aphtes • sucer son pouce
les appareils dentaires • chutes, coups, chocs.

Sans elles, pas question de chanter, siffler, parler, mâcher... ni même de mordre la vie à pleines dents, bien sûr. Les tout petits bébés n'en ont pas, en général. Mais on dit que Louis XIV en avait une à sa naissance. Les premières dents sont là de passage, en attendant les autres, les grandes, celles qui vont servir toute la vie. Elles ont un joli nom, les dents de lait. En tombant, elles font le bonheur de plus d'une petite souris.

Dents de lait

Les bébés ont mal quand leurs dents sortent. On dit qu'ils «percent» une dent, c'est la vérité. La dent doit percer la gencive pour sortir, ce qui provoque une petite inflammation. Le bébé est grognon, il a parfois un peu de diarrhée, une joue ou les fesses toutes rouges et, bien sûr, il bave.

 Lui donner des croûtes de pain ou quelque chose de froid et dur à mordre, par exemple en mettant un de ses jouets en plastique au frigidaire avant. On peut aussi lui masser les gencives.

Les premières dents apparaissent entre 4 mois et 1 an. Ce sont les dents de lait. On voit sortir, dans l'ordre, les incisives inférieures, les incisives supérieures, les canines et enfin les molaires.

Les incisives servent à couper la nourriture, les canines à la déchiqueter et les molaires la réduisent en bouillie. Vers l'âge de deux ans et demi, les vingt dents de lait sont sorties et elles vont rester là quelques années, pendant que les dents définitives se préparent en cachette.

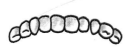

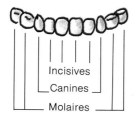

Incisive Canine Molaire

Dents de loup
Dents de sagesse

Vers 8 ou 9 ans, les dents de lait tombent et les autres, celles qui durent toute la vie, poussent. A 12 ans, on a toutes ses dents. Les dents de sagesse, qui sont tout au fond de la mâchoire, peuvent pousser jusqu'à l'âge de 40 ans. Mais on n'est jamais sûr d'être assez sage pour les mériter et certains n'en ont pas ! De nos jours, de moins en moins de gens ont des dents de sagesse, probablement parce que nous mangeons des aliments plus faciles à mâcher que ceux de nos ancêtres.

La carie

Les aliments laissent sur les dents une pellicule : la plaque dentaire. Elle contient des bactéries qui adorent le sucre et s'en nourrissent. Quand la bactérie pénètre à l'intérieur de la dent, elle l'infecte, c'est la carie qui fait une petite tache sombre sur la dent.

Pour éviter les caries il faut : se laver les dents après chaque repas, pendant au moins trois vraies minutes ;
– choisir une brosse à dents assez petite pour aller dans chaque coin ;
– choisir des poils très doux en nylon qui massent la gencive ;
– se brosser de haut en bas et de bas en haut et non pas de long en large ;
– le luxe, c'est d'avoir en plus un appareil qui envoie un jet d'eau dans toute la bouche et emmène les petits débris avec lui ;
– ne jamais s'endormir avec un bonbon sauf en cas de gros gros chagrin ;

— utiliser du fluor soit en comprimés, soit en dentifrice, chaque jour jusqu'à la deuxième dentition ;
— les dents très propres donnent une haleine fraîche.

 Montrer ses dents deux fois par an au dentiste. Comme un détective, il cherche les petites caries et peut même faire des radios qui montrent ce qui se passe à l'intérieur des dents et des gencives.

Quand il y a une carie, il fait un petit trou avec un appareil perfectionné très rapide pour faire le moins de mal possible. Il retire tout ce qui est pourri puis rebouche avec une pâte qui devient aussi dure que la dent.

Soigner les caries le plus vite possible avant qu'elles fassent très mal en s'attaquant au nerf.

L'abcès

C'est ce qui arrive quand l'intérieur de la dent est pourri. Soit par une carie, soit à la suite d'un choc, dans les deux cas, le nerf est mort. Il se décompose. Du pus se forme. Comme la paroi de la dent est très dure, le pus ne parvient pas à sortir. Alors il remonte ou redescend pour sortir à travers la gencive.

On a mal, très mal. Parfois, on voit une région gonflée et rouge sur la gencive avec au centre un petit point blanc.

Aller très vite consulter un dentiste qui percera soit la dent, soit la gencive, ce qui permet au pus de sortir et à l'abcès de guérir.

Si on ne peut pas voir le dentiste très vite, un médecin peut donner des antibiotiques et des médicaments qui calment l'inflammation. Cela empêche que l'abcès s'étende trop et permet de souffrir moins en attendant.

Il peut y avoir des abcès dans la gencive quand les dents de lait tombent. Il suffit d'aider un peu la dent à tomber et tout redevient normal.

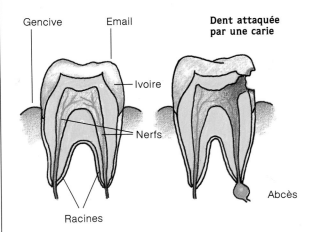

Gencive — Email — **Dent attaquée par une carie** — Ivoire — Nerfs — Racines — Abcès

Les aphtes

Il arrive qu'on ait un peu mal dans la bouche, après avoir mangé du gruyère ou des noix, par exemple. Quand on regarde, on voit une petite tache rouge comme une brûlure, et au bout de quelques heures, elle devient blanche et ressemble à de la peau morte. C'est un aphte.

Personne ne sait exactement ce qui les provoque. Toutefois les aphtes surviennent moins souvent dans les bouches très propres.

Quand ils sont nombreux et douloureux, on peut mettre de la pommade anesthésiante, mais le plus souvent, ils guérissent tout seuls.

Les pouces poussent

Pourquoi suce-t-on son pouce ?

Personne ne le sait, à part ceux qui le font ! Sans doute trouvent-ils cela agréable ou rassurant. Ce que l'on sait, c'est qu'il y a deux sortes de suceurs de pouce.

Ceux qui sucent leur pouce quelques minutes après leur naissance le suçaient déjà dans le ventre de leur mère. Pour eux, c'est une vieille habitude ! Les autres commencent vers trois ou quatre mois, peut-être parce qu'ils s'ennuient et que ça leur permet de mieux rêver... Ils aimeraient un peu de conversation après le biberon.

Mieux vaut éviter de sucer son pouce parce que ça peut bousculer toutes les dents et même déformer le palais. On peut trouver tout seul des astuces pour ne plus sucer son pouce.

Si les dégâts sont faits, il faut placer un appareil qui poussera les dents dans le sens contraire.

Les appareils

Quand les plantes poussent de travers, on leur met des tuteurs pour leur indiquer le chemin. C'est pareil pour les dents quand elles sont mal plantées. A l'intérieur de la bouche, tout marche ensemble. Parfois, il suffit de déplacer un peu la langue grâce à un appareil pour que les dents se remettent en bonne place toutes seules.

C'est ennuyeux de porter un appareil, mais il faut s'obliger à le faire car on travaille pour l'avenir ! Quand on grandit, on est content d'avoir un joli sourire et de pouvoir siffler comme on veut.

Quand on le porte tout le temps, on l'oublie plus facilement. Il faut quand même le retirer pour bien le nettoyer.

Chutes, coups, chocs

Si à la suite d'un coup ou d'une chute, une dent est remontée dans la gencive, il faut aller vite voir le dentiste car cette dent qui remonte dans la gencive peut détruire ou abîmer le germe de la future dent qui attend, cachée, son tour pour sortir.

Si une dent de lait tombe ou se casse : ne rien faire, à part la confier à la petite souris. Si une dent définitive tombe, la remettre tout de suite à sa place et la maintenir là jusqu'à ce que l'on voie un dentiste : elle pourra reprendre racine dans la gencive et être sauvée.

Comment ça va les poumons?

La bronchite • la pneumonie • l'asthme • la toux • la trachéite

La première chose que nous faisons en venant au monde, c'est de respirer. Nous remplissons nos poumons d'air pour la première fois. Cette première respiration du nouveau-né est un moment très émouvant pour l'enfant et ses parents, et c'est sans doute pour cela que notre façon de respirer est liée pour toujours à nos émotions. D'ailleurs, on ne respire pas de la même façon lorsqu'on est content, triste ou inquiet. La respiration, c'est la vie. Souvent, quand on a l'impression que les autres nous empêchent de faire ce qu'on veut, on dit «laisse-moi respirer» ou «laisse-moi vivre». On a l'impression d'étouffer, de manquer d'air... Pourtant, nos poumons font leur travail comme d'habitude !

Pour comprendre, il faut imaginer un arbre à l'envers. L'air suit le chemin de la sève. La trachée serait le tronc, les bronches les branches maîtresses, les bronchioles les petites branches, les alvéoles le feuillage.

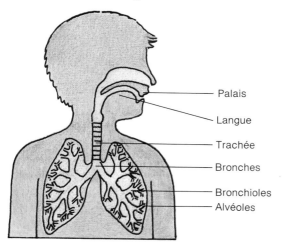

- Palais
- Langue
- Trachée
- Bronches
- Bronchioles
- Alvéoles

C'est à l'intérieur de nos poumons que l'air et le sang se rencontrent, à travers une toute petite membrane qui laisse passer les gaz. Le sang arrive tout bleu, chargé des déchets de l'organisme et il prend l'oxygène qui arrive après avoir traversé les couloirs des bronches. En échange, il laisse ses déchets, sous forme de gaz carbonique, un peu comme s'il vidait ses poubelles, et ceux-ci sont rejetés avec l'air expiré, c'est-à-dire celui qu'on rejette à l'extérieur.

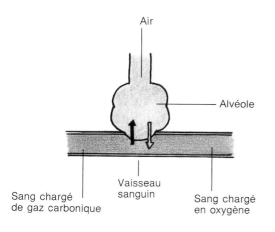

Air

- Alvéole

Vaisseau
sanguin

Sang chargé
de gaz carbonique

Sang chargé
en oxygène

La bronchite

C'est une infection des bronches.

Quand on a une bronchite, on tousse, on a un peu de fièvre et on crache. Parfois, la respiration est douloureuse.

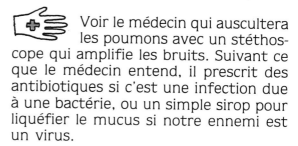 Voir le médecin qui auscultera les poumons avec un stéthoscope qui amplifie les bruits. Suivant ce que le médecin entend, il prescrit des antibiotiques si c'est une infection due à une bactérie, ou un simple sirop pour liquéfier le mucus si notre ennemi est un virus.

La pneumonie

Ce ne sont plus seulement les bronches qui sont malades mais toute une partie d'un poumon. Les bronches, les petits alvéoles et le tissu qu'il y a autour sont enflammés et remplis de pus. Quand la partie malade du poumon est près du diaphragme qui sépare les poumons du ventre, la pneumonie peut au début se manifester uniquement par un mal de ventre très fort, qui peut tromper le médecin et les parents.

Consulter un médecin et faire une radiographie pour savoir ce qui se passe à l'intérieur des poumons. Le médecin prescrira des antibiotiques et suivra attentivement l'évolution de la maladie.

L'asthme

Pendant les crises d'asthme, le malade respire très mal. Les toutes petites bronchioles et les bronches se rétrécissent et ne laissent plus passer l'air facilement. Si l'on écoute en posant son oreille contre le dos d'un asthmatique, on entend un bruit particulier qui ressemble un peu au roucoulement du pigeon.

On dit que c'est une maladie allergique, ce qui veut dire que c'est une réaction de l'organisme lorsqu'il rencontre quelque chose qui l'irrite. Cela peut être la poussière, les plumes ou les poils, ou le pollen des fleurs qui se promène dans l'air au printemps. L'asthme est une maladie très mystérieuse, sur laquelle on ignore bien des choses. Par exemple, pourquoi une simple photo de pigeon peut déclencher une crise chez quelqu'un qui est allergique aux plumes. En tous les cas, les asthmatiques sont toujours des gens très sensibles.

Ne pas s'affoler, on ne meurt pas d'une crise d'asthme.

Elle finit toujours par passer. Il faut aller chercher une grande personne pour qu'elle donne les médicaments nécessaires. Si ça ne passe pas et que l'on est trop inquiet, aller à l'hôpital. Ce n'est pas la peine de se faire des idées noires pour

l'avenir parce qu'on a eu une ou plusieurs crises. Il y a des tas de gens qui n'ont eu qu'une crise dans toute leur vie. L'asthme peut partir comme il est venu : sans que l'on sache vraiment pourquoi et comment.

La toux

La toux, comme les éternuements pour le nez, est un réflexe de nettoyage des poumons. Quand ils sont encombrés par des sécrétions ou par des microbes, ils font un grand courant d'air pour les chasser. Le sirop contre la toux n'est pas toujours utile car il empêche les bronches de faire elles-mêmes leur nettoyage. Tousser, c'est se débarrasser d'un tas de microbes et de déchets encombrants (n'oubliez pas de mettre votre main devant la bouche).

On peut prendre un peu de sirop le soir pour pouvoir dormir tranquille !

Toujours se demander pourquoi on tousse et consulter un médecin si ça dure plus de quelques jours, la toux est le signe que quelque chose ne va pas dans l'arbre respiratoire.

La trachéite

On tousse et on a le fond de la gorge qui pique. La toux de la trachéite est sèche et très énervante. C'est une infection du tube qui va de la bouche aux poumons : la trachée. Elle est due à un virus.

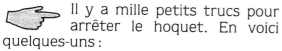 Consulter le médecin qui dira s'il s'agit d'une trachéite. Si c'est le cas, il prescrira un peu de sirop pour calmer cette vilaine toux qui, dans ce cas, ne sert à rien.

Hoquet

Hic ! Hic ! On a le hoquet, c'est bien rigolo pour les autres, mais bien fatigant pour celui qui hoquette. C'est une contraction du diaphragme qui secoue tout le ventre. L'air est chassé brusquement, il fait vibrer les cordes vocales en passant : c'est ce qui produit ce drôle de petit bruit.

Il y a mille petits trucs pour arrêter le hoquet. En voici quelques-uns :
— poser un verre plein d'eau sur la table, se pencher pour boire, aspirer l'eau en posant les lèvres sur le bord opposé à celui que l'on utilise habituellement ;
— demander à quelqu'un d'appuyer assez fort sur votre tête de façon à ce que le menton touche la poitrine et tenir cette position pendant quelques minutes ;
— on peut toujours essayer de faire peur à celui qui a le hoquet : c'est parfois efficace.

Fausse route

Il faut se méfier des cacahuètes ou des petits jouets qu'on met dans la bouche... si par malheur l'un d'eux passe par les bronches, cela peut devenir très grave. Si l'objet va de la bouche à l'estomac, il réapparaîtra à la sortie du tube digestif, c'est-à-dire dans les selles, mais s'il file dans les poumons, c'est une autre histoire !

Il peut rester bloqué dans la trachée et provoquer la mort par étouffement. (Se référer au paragraphe : « S.O.S. Dangers ! », chapitre « Plaies et bosses ».)

Il peut aussi passer dans une bronche. Il faut alors faire une petite opération pour le retirer, cela évitera des infections.

Il faut toujours dire à un adulte qu'on a avalé un objet qui n'est pas passé dans l'estomac (on sent la différence). Il peut arriver qu'une fois la chose avalée, on tousse un peu et puis qu'il ne se passe rien pendant des semaines ou des mois avant que de sérieux ennuis commencent. Dans le doute, faire une radiographie.

Ne jamais courir, marcher ou rire avec quelque chose dans la bouche, même s'il s'agit de quelque chose qui se mange. Et bien sûr, ne jamais bousculer un autre enfant quand il a quelque chose dans la bouche.

Comment ça va les oreilles, le nez, la gorge?

Les rhumes • les otites • la sinusite
les angines • les végétations • le mal de tête

Un pied de nez, un chat dans la gorge et des oreilles d'âne...
C'est une histoire sans queue ni tête ! Et pourtant, sans un nez, une gorge et deux
oreilles, la vie n'aurait plus aucun goût ni parfum, et plus personne ne s'entendrait.
De temps en temps, tout se complique. Ça se bouche, ça coule et ça s'enroue. On
tousse, on sort son mouchoir et son cache-nez... trop tard ! On a attrapé le rhume,
l'angine ou l'otite, et les globules blancs, en vrais petits soldats, repartent sur le
pied de guerre... pour un nouveau pied de nez aux microbes.

Au fond de la gorge, il y a les amygdales, dans les oreilles, il y a les tympans et dans le crâne, on trouve les sinus. Tout cela communique, comme sur le dessin.

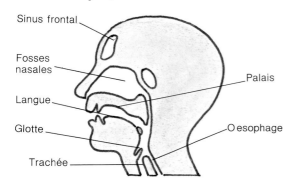

Sinus frontal
Fosses nasales
Langue
Glotte
Trachée
Palais
Oesophage

Ce sont des endroits faciles à atteindre, où vont se nicher toutes sortes de virus et microbes qui entrent dans la bouche et le nez. Les otites, les angines et les rhumes sont les témoins de toutes les bagarres qui s'y déroulent d'autant plus souvent qu'on est petit et qu'on a encore toutes ses défenses à fabriquer.

Le rhume

Le rhume est comme une panne du nez ! On l'appelle parfois rhume de cerveau — en réalité le cerveau n'a rien à voir là-dedans — , mais on est tellement abruti qu'on pourrait croire que c'est le cerveau qui est malade. Les yeux se mettent à pleurer tout seuls et tout se bouche d'un seul coup. Le responsable est un mauvais germe, un virus.

L'intérieur du nez est tapissé de tout petits cils mobiles qui fonctionnent comme un tapis roulant, évacuant les poussières et autres visiteurs indésirables. Pendant le rhume, l'intérieur du nez gonfle et produit un liquide visqueux : *le mucus* (la morve). Les cils sont alors paralysés et le nez se bouche.

Les nerfs qui transmettent les odeurs sont, eux aussi, englués dans le mucus, et on ne sent plus rien. Il faut se moucher pour libérer le passage, et on se met à éternuer, ce qui fait comme un grand courant d'air qui nettoie les parois nasales.

 Bien nettoyer le nez en y mettant de l'eau salée (sérum physiologique) avec un compte-gouttes. Se moucher beaucoup (si possible avec des mouchoirs en papier à jeter ou un mouchoir propre).

Mettre une crème douce sur les ailes du nez. Quand le rhume tourne mal, le mucus, qui contient plein de microbes, va se loger derrière les tympans. Cela provoque une otite.

Le rhume des foins. Quand les rhumes reviennent comme la saison des fleurs, des foins et des pollens qui voyagent dans les airs, quand le nez coule comme une fontaine et qu'on éternue beaucoup, on a le rhume des foins. C'est un rhume allergique.

Voir le médecin qui peut l'empêcher de revenir à la prochaine saison et essayer d'atténuer celui qui est en cours.

Les otites

Les sons pénètrent dans les oreilles et font vibrer les tympans qui sont des petites peaux très fines, au fond du trou de

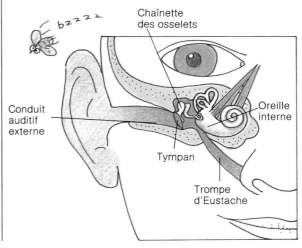

Chaînette des osselets
Conduit auditif externe
Oreille interne
Tympan
Trompe d'Eustache

l'oreille, parcourues de vaisseaux sanguins. Les tympans transmettent les vibrations au nerf auditif par une série de petits os en chaînette.

Quand on a une otite, on a mal aux oreilles. Parfois, les tympans sont simplement rouges et un peu enflammés. Dans ces cas-là, ce n'est pas très grave et ça peut passer tout seul, même si certaines otites donnent beaucoup de fièvre.

Quand le mucus s'infecte et s'accumule trop derrière l'oreille, le tympan est bombé, on a très mal, il faut appeler le médecin.

Après avoir nettoyé le cérumen, la cire jaune accumulée dans l'oreille, il va regarder à l'intérieur avec une petite lampe.

Au début, les antibiotiques peuvent empêcher que ça s'aggrave.

Si le pus est déjà là, et si le tympan ne se perce pas tout seul, il faut l'aider et le percer. Cela s'appelle une paracentèse. Sur le moment on a très mal, mais tout de suite après, le pus s'écoule et on est soulagé. Le tympan se referme, après quelques jours on est guéri.

Ne pas se nettoyer les oreilles avec les cotons-tiges. Ils risquent d'irriter les conduits et de repousser le cérumen tout au fond ; ce qui provoque la formation des bouchons. C'est uniquement l'eau de la douche et du bain qui doit nettoyer les oreilles.

Yo-yo. Quand les otites sont trop fréquentes, on pose un petit tuyau à travers le tympan et on l'y laisse plusieurs semaines. Cela s'appelle un yo-yo parce que ça ressemble exactement aux yo-yo, en miniature. Ils permettent à l'air de circuler des deux côtés du tympan qui a besoin d'être au sec pour aller bien. Mais on peut commencer par retirer les végétations avant de penser aux yo-yo (voir plus loin).

La sinusite

Les sinus sont des caisses de résonance, et c'est grâce à eux que notre voix sonne et porte loin. Ils sont tapissés de muqueuses et reliés au nez par de petits canaux. Ce sont de véritables palaces pour les microbes, et il difficile d'aller les y déloger une fois qu'ils y sont installés. On a mal au-dessus des yeux, on sent quelque chose qui coule au fond de la gorge : c'est le pus qui tombe des sinus.

Souvent on tousse, surtout la nuit : nos poumons se débarrassent du pus qui les encombre en tombant goutte à goutte.

Voir un médecin. Le plus souvent, il donnera des antibiotiques à prendre et des inhalations à faire. Les inhalations sont plutôt amusantes, puisqu'il s'agit de mélanger des médicaments à un bol d'eau chaude et de respirer par le nez la fumée qui se dégage et qui va nettoyer les sinus.

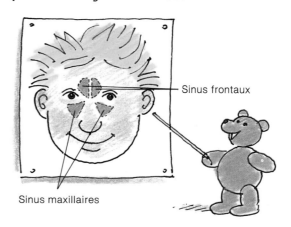

Sinus frontaux

Sinus maxillaires

Se moucher beaucoup après l'inhalation.

Ne pas sortir au froid dans la demi-heure qui suit.

Ne pas aller à la piscine quand on a une sinusite.

Les angines

Joli nom pour cette désagréable maladie qui nous fait gonfler le cou, comme si le chat qu'on a dans la gorge sortait ses griffes.

Quand on ouvre la bouche, deux petites masses de chair apparaissent en arrière des dents. Ce sont des forteresses avancées qui apprennent à notre organisme à se défendre contre les microbes : les amygdales. Pendant l'angine, elles s'infectent et deviennent très rouges avec parfois des petits points blancs. On a souvent mal au ventre parce que les ganglions qui entourent l'intestin gonflent comme ceux du cou.

Le médecin prescrit des antibiotiques pour éviter des complications futures, par exemple, des maladies de cœur ou de reins.

Opération des amygdales

Les amygdales nous sont très utiles, mais il arrive qu'elles abritent trop de microbes, et dans ce cas, on les enlève.

Il faut aller à l'hôpital quatre ou cinq jours pour se faire opérer des amygdales, mais on se console en mangeant des glaces. Ça aide à la cicatrisation.

Les végétations

Elles ont à peu près le même rôle que les amygdales mais sont derrière le nez. Elles sont situées tout près de la trompe d'Eustache et ressemblent aux éponges naturelles qui poussent au fond des mers. Elles captent beaucoup de germes et sont souvent enflammées. Elles enflent, bouchent la trompe d'Eustache et empêchent le tympan de respirer : c'est l'otite.

Quand il y a trop d'otites, on enlève les végétations. Là encore, on mange de la glace pour cicatriser plus vite. C'est bon !

Le mal de tête

Il est difficile de parler du mal de tête parce qu'il y a mille raisons et mille façons d'avoir mal à la tête. On peut avoir : un bon rhume ou une grippe, une sinusite, une infection dentaire, des dents de sagesse qui poussent (ça peut arriver à partir de 12 ans), des yeux qui ont besoin de lunettes, une infection des méninges (ce sont les petites membranes très fines qui enveloppent le cerveau)... ou bien des pensées compliquées, ou un gros chagrin, tout simplement !

La migraine : c'est un mal de tête qui provoque la douleur seulement dans la moitié de la tête. On a l'impression de sentir son sang battre très fort contre le crâne. La cause d'une migraine est souvent une maladie dont il faut rechercher l'origine.

Le plus souvent ce n'est pas grave, rester calme, mettre un gant de toilette frais sur le front, ne pas se mettre en pleine lumière, couper ses soucis. Si ça ne passe pas, demander à une grande personne un comprimé pour calmer la douleur.

Si le mal de tête revient souvent, consulter un médecin qui cherchera la cause et soignera.

Comment ça va le ventre?

Le mal au ventre • l'indigestion • les vomissements • la diarrhée
la constipation • l'appendicite • les vers

Le ventre, c'est toute une histoire ! En plein milieu, il y a comme un petit bourgeon : le nombril. On dit des gens très égoïstes et qui ne pensent qu'à eux qu'ils regardent trop leur nombril. C'est dire qu'il est au centre même de notre vie ! D'ailleurs, notre vie lui doit beaucoup, puisque c'est la trace du cordon qui nous reliait à la poche qui nous enveloppait lorsque nous étions encore dans le ventre de notre mère. C'est grâce à lui que nous pouvions nous nourrir, avant de naître. Quand on a coupé ce cordon après notre naissance, notre ventre a commencé à fonctionner tout seul. Sa grande affaire, c'est la digestion ; il travaille jour et nuit, le ventre ne se repose jamais. Alors si de temps en temps il y a un peu de chahut à l'intérieur, si ça gronde, si ça gargouille, si ça fait un peu mal, il ne faut pas s'étonner.

Le mal au ventre

Il y a quantité de raisons d'avoir mal au ventre. L'estomac et le tube digestif fabriquent des liquides acides, et ils se contractent sans arrêt ; aussi, il serait bien étonnant qu'on ne ressente jamais rien de leur côté. D'autre part, toutes les maladies infantiles peuvent donner mal au ventre. Avoir mal au ventre de temps en temps prouve qu'il fait son travail et ça fait aussi partie de la vie de tous les jours.

Toutes les émotions peuvent donner mal au ventre. Il faut savoir l'écouter, car le ventre se souvient de tout. Il nous raconte des choses sur nous que nous ignorions. Par exemple, quand on était petit et qu'on ne pouvait pas se nourrir tout seul, le moment des repas était très important. C'était l'occasion de rencontrer quelqu'un d'autre et d'être câliné, ou même grondé. Si on nous tenait maladroitement dans les bras, on avait peur. Il y a des souvenirs comme ceux-là dans la mémoire de notre ventre, et c'est pourquoi son langage est presque aussi important que celui des mots.

L'indigestion

C'est le contraire de la digestion. Quand on mange quelque chose, on le digère. Mais quelquefois, ça ne marche pas. Par exemple, quand on a mangé quelque chose de mauvais, ou de la nourriture qui n'était pas fraîche, ou bien, quand un virus se promène dans notre tube digestif.

Les vomissements. C'est l'estomac qui se met en colère le premier et il se contracte très fort, ce qui nous donne une impression bizarre et très désagréable. En général, on dit qu'on a mal au cœur, mais ce n'est pas le cœur qui est responsable. Les contractions de l'estomac peuvent devenir tellement violentes qu'elles finissent par mettre tout le monde dehors, c'est-à-dire toute la nourriture qu'on a avalée. On vomit. Sur le moment, c'est très désagréable, et ça laisse un mauvais goût dans la bouche, mais après, quel soulagement ! L'estomac débarrassé se calme, on se sent mieux, et l'indigestion peut s'arrêter là. Mais parfois, elle continue et on a la diarrhée.

 Ne pas essayer d'empêcher les vomissements qui soulagent. Le corps se défend contre son ennemi, et il vaut mieux le laisser faire.

Attendre tranquillement que cela passe, en restant allongé avec une bouillotte sur le ventre. Manger très légèrement, surtout des bouillons de légumes et du riz. Ne jamais se forcer à manger si on n'a pas faim.

La diarrhée. Cette fois, c'est le tube digestif qui se fâche ! D'habitude, il se contracte tout bonnement pour faire avancer la nourriture de notre bouche à notre anus au fur et à mesure qu'elle se transforme. Quand il est irrité, il se contracte à toute vitesse, et n'a plus le temps d'absorber l'eau qui est avec la nourriture. C'est la *diarrhée*. On va au cabinet plusieurs fois par jour, les selles sont très liquides, on a du mal à les retenir et elles

brûlent au passage. Quand la diarrhée est douloureuse, on l'appelle *colique*.

Il faut toujours essayer de comprendre la cause de la diarrhée : la nourriture, les microbes, les autres maladies (otites, angines). Mais on peut aussi avoir la diarrhée parce qu'on a eu peur, ou qu'on n'est pas content.

Mettre son tube digestif au repos : lui donner des choses faciles à digérer ou qui luttent contre la diarrhée : riz, chocolat, coings, bananes bien mûres. Supprimer les laitages.

Boire du bouillon de légumes, des jus de fruits. La seule chose dangereuse dans la diarrhée, c'est que le corps perd une grande quantité d'eau. Il faut boire beaucoup en alternant jus de fruit et eau minéralisée.

Si on a de la fièvre et que la diarrhée dure plus de deux jours, en parler au médecin.

La constipation

La constipation, c'est tout le contraire de la diarrhée. Le tube digestif devient paresseux, il travaille au ralenti. Les selles restent plus longtemps à l'intérieur et se vident de leur eau, elles deviennent toutes dures. On va moins aux cabinets.

Il ne faut pas s'affoler quand on est constipé. Chaque tube digestif a son propre rythme et ses habitudes ; ce n'est pas obligatoire d'aller à la selle tous les jours. En plus, il se laisse intimider par les petits changements de notre vie, les voyages, les déménagements. Et puis, la constipation est aussi un moyen de montrer qu'on a peur ou qu'on est contrarié. Il y a même des enfants qui deviennent constipés quand leur maman attend un bébé. Ils oublient qu'il y a deux parties dans le ventre des femmes, l'une pour la digestion, l'autre pour faire les bébés. Sans le savoir, ils espèrent qu'en se

retenant d'aller aux cabinets, ils finiront par avoir un bébé, ce qui est impossible.

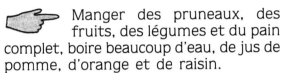

Manger des pruneaux, des fruits, des légumes et du pain complet, boire beaucoup d'eau, de jus de pomme, d'orange et de raisin.

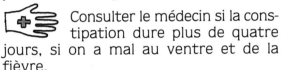

Consulter le médecin si la constipation dure plus de quatre jours, si on a mal au ventre et de la fièvre.

L'appendicite

C'est l'inflammation de l'appendice, qui est situé à un angle du gros intestin, et qui ressemble à une chaussette minuscule.

On a très mal en bas et à droite du ventre. Parfois, on vomit, on est constipé, et on a de la fièvre. La langue, au

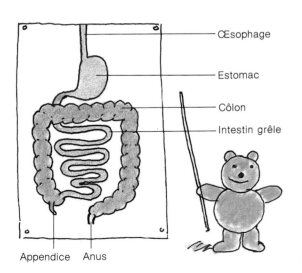

Œsophage

Estomac

Côlon

Intestin grêle

Appendice   Anus

52

lieu d'être rose, devient gris-vert. Les grandes personnes disent qua la langue est « chargée ».

Le médecin dira s'il s'agit d'une vraie crise d'appendicite ou tout simplement d'une grosse colère de l'intestin (colite).

Le médecin palpe le ventre, puis il met son doigt dans l'anus pour voir si la douleur se réveille. Il peut aussi demander une prise de sang, pour voir si notre organisme n'est pas en train de lutter contre une infection. Quand on a une vraie crise d'appendicite, il faut se faire opérer. Le chirurgien enlève l'appendice et on se réveille avec une petite cicatrice de rien du tout, mais qui fait très mal quand on se met à rire. L'opération n'est pas grave, mais il vaut mieux éviter d'inviter des amis trop rigolos pendant sa convalescence !

Les vers

Dans la nature, il y a toutes sortes de vers qui mènent une vie tranquille, sans déranger personne. L'ennui, c'est que de temps à autre, ils décident d'aller se promener chez nous, dans notre ventre. Par exemple, quand on a mangé quelque chose qui était « habité » par un de ces hôtes encombrants !

Les oxyures. On se gratte l'anus, et on s'endort avec peine. Si on regarde ses selles, on y voit de tout petits filaments blancs qui se tortillent : ce sont les oxyures, les vers les plus fréquents chez nous. Ils se reproduisent dans notre tube digestif.

Prendre un vermifuge pour s'en débarrasser. Se laver très souvent les mains et se couper les ongles courts, car en se grattant, on ramasse sous ses ongles des œufs minuscules que l'on avale ensuite.

Toute la famille doit se soigner. Changer les serviettes de toilette.

Le taenia. Il existe une autre sorte de ver qui va se nicher dans notre intestin, mais celui-là est plus gros : c'est le taenia. On l'appelle aussi par un nom sympathique : *le ver solitaire*. C'est parce qu'il est tout seul dans le corps qu'il habite. On retrouve ses anneaux dans les selles. On l'attrape en mangeant de la viande contaminée qui n'a pas été assez cuite.

Le médecin donnera un *vermifuge*, un poison pour le ver qui va être délogé.

Comment ça va l'arbre génito-urinaire?

(les reins, la vessie et les organes génitaux)

La cystite • le phimosis

On appelle de ce drôle de nom l'ensemble des organes qui permettent aux êtres humains de faire pipi, de faire l'amour et d'avoir des enfants. On parle d'arbre car tous ces organes sont situés les uns au-dessus des autres, en hauteur. Parfois on peut se demander comment cela se passe ; quand on n'est pas informé, c'est un peu embarrassant de parler des endroits où le caca et le pipi sont si proches de celui où se conçoivent les bébés. Pourtant, la nature a mis au point des systèmes pour que tout se passe bien et que cela ne se mélange jamais. C'est un endroit très important de notre corps puisqu'il réunit le plaisir, la possibilité de donner la vie et aussi les parties les plus utilitaires.

Les reins

Ce sont deux gros filtres que le sang traverse en permanence. Ils gardent ce qui n'est pas utile pour notre corps et l'éliminent sous forme d'urine (le pipi) qui descend dans la vessie par deux tuyaux.

La vessie

C'est une poche qu'il faut vider quand elle est pleine. Elle est munie de petits récepteurs qui préviennent le cerveau dès qu'elle a besoin d'être vidée. A ce moment-là, nous avons envie de faire pipi. Le cerveau ordonne à la vessie de se contracter : l'urine est chassée à l'extérieur par un tuyau qui s'appelle l'urètre. Chez les garçons, il doit traverser toute la verge, tandis que chez les filles, il arrive directement au-dessus du vagin. Mais la vessie n'est qu'un réservoir et, comme tous les réservoirs, elle peut déborder quand elle est trop pleine.

Quand on rit trop fort ou qu'on a très peur, le petit anneau qui ouvre et qui ferme la vessie ne sait plus bien ce qu'il fait. Il arrive qu'on fasse pipi dans sa culotte !

La cystite

C'est une infection de l'urine et de la vessie. Quand on a une cystite, on a souvent envie de faire pipi et ce pipi brûle. C'est très important de vider la vessie à fond et de faire souvent pipi. Parfois, on a une cystite sans infection. C'est seulement parce qu'on est énervé ou ému ou bien qu'on a très peur. C'est probablement parce que nos organes sexuels, dans lesquels nous ressentons des sensations fortes depuis que nous sommes bébés, sont très proches des organes qui servent à faire pipi.

 Boire beaucoup d'eau. Les microbes sont emportés par les flots.

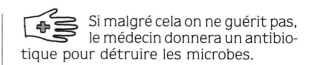 Si malgré cela on ne guérit pas, le médecin donnera un antibiotique pour détruire les microbes.

Le phimosis

C'est un problème réservé aux garçons puisque ça se passe sur la verge. L'extrémité de la verge s'appelle le gland. Quand la peau qui entoure le gland est trop serrée, on ne peut pas « décalotter », c'est-à-dire découvrir l'extrémité de la verge. C'est ennuyeux car, en gênant la toilette, cela peut provoquer des infections et des adhérences à cet endroit où beaucoup de microbes passent avec le pipi. Les bébés tirent naturellement sur leur verge, le plus souvent les choses s'arrangent toutes seules et si cela persiste, il faut en parler au médecin.

Quand la peau est extrêmement serrée, le chirurgien peut en couper un petit bout, mais c'est très rare qu'on y soit obligé.

Les organes génitaux

Pour concevoir un enfant, il faut qu'un spermatozoïde du père rencontre un ovule de la mère. Ce sont des cellules reproductrices et non pas des petites graines comme disent parfois les gens. Nous ne sommes pas des végétaux !

Dans les testicules de l'homme, qui sont les deux boules situées sous la verge, il y a les spermatozoïdes. Et dans les ovaires de la femme, de chaque côté de l'utérus qui est dans le bas du ventre, il y a les ovules. Chaque mois, un ovule mûrit et sort de l'ovaire. Il reste dans la trompe de Fallope et c'est là que les spermatozoïdes doivent monter le chercher.

S'assurer que les testicules sont bien en place chez les bébés garçons. Si ce n'est pas le cas, il faut absolument consulter le médecin.

Faire l'amour. Quand un homme et une femme veulent un enfant, ils font l'amour. Le sexe de l'homme devient dur : on dit qu'il est en érection. Il le met dans le vagin de la femme et quand ils éprouvent un très grand plaisir, un liquide blanc sort de la verge de l'homme : c'est le sperme qui contient

Dès que le spermatozoïde et l'ovule se rencontrent, le futur enfant est créé. Ces deux cellules vont se multiplier des milliards de fois jusqu'à devenir un bébé. C'est dans la poche à bébé des femmes, l'utérus, que les bébés se développent, bien à l'abri, comme dans un petit nid douillet.

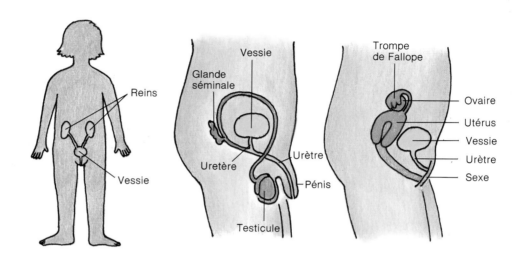

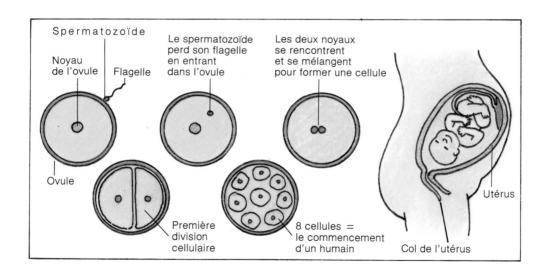

une énorme quantité de spermatozoï-des. Dans le vagin, il y a une gelée spé-ciale qui fait remonter les spermato-zoïdes vers le haut, jusqu'à l'ovule.

Un homme et une femme peuvent faire l'amour sans vouloir un enfant, mais tout simplement parce qu'ils s'aiment et veulent se donner l'un à l'autre du plaisir.

56

Grandir. Les petites filles ont déjà tout ce qu'il faut dans leur ventre pour devenir des mamans plus tard : l'utérus, les trompes, les ovaires, le vagin et le clitoris qui, lui, ne sert pas du tout à faire des bébés mais seulement à avoir du plaisir. Le garçon lui aussi a ses organes génitaux en place dès la naissance : la verge et les testicules.

Mais les petites filles et les petits garçons ne peuvent pas avoir d'enfant, même s'ils sont amoureux, parce que leurs organes ne sont pas encore prêts.

Heureusement, car quand on est petit, on n'est pas non plus prêt dans sa tête pour avoir de telles responsabilités !

Il faut toute une transformation pour que les ovaires se mettent à fabriquer des ovules et que les testicules produisent des spermatozoïdes efficaces. Cette transformation s'appelle la *puberté*.

Elle se produit lentement, entre 9 et 16 ans, et elle se traduit par des changements physiques qui bousculent aussi les idées et les sentiments. On grandit, on se met à avoir des poils sous les bras et sur le pubis, la voix devient plus grave, et les seins des filles commencent à pousser. Elles ont leurs premières *règles*. C'est le sang venu de l'utérus, qu'à partir de ce jour-là, elles perdront tous les mois. C'est un grand événement dans la vie d'une petite fille. La puberté est une période bouleversante et pleine d'émotions fortes qui ne sont pas toujours faciles à vivre. Les garçons, eux, ont des érections et des émissions involontaires de sperme dont ils ont tort de s'inquiéter.

Comment ça va les os, le squelette?

La scoliose • la lordose • les fractures • les entorses
les foulures • les courbatures • les crampes

Les 208 os de notre squelette permettent à notre corps de tenir debout. Ils ont souvent des noms incongrus, de quoi écrire une jolie chanson bien squelettique : le palatin, le pisiforme, l'astragale, l'os crochu, le pyramidal, et si vous ne voulez pas du semi-lunaire, vous prendrez bien le naviculaire.

Les os

Les os de notre squelette servent d'armature à notre corps, en même temps qu'ils abritent les organes plus fragiles : le cerveau dans le crâne et le cœur dans la cage thoracique. Les os tiennent entre eux grâce aux articulations, entre lesquelles il y a des petits coussinets pleins de liquide, la synovie, qui servent d'amortisseurs.

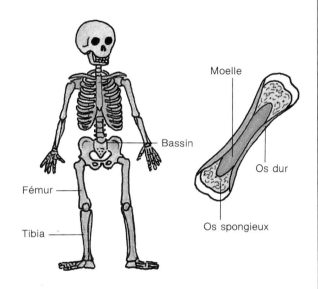

Moelle

Bassin

Os dur

Fémur

Os spongieux

Tibia

Le cartilage de croissance. A la naissance, les os des bébés sont tendres. Ils sont faits de cartilage souple qui va peu à peu se transformer en os dur.

Pour que les os grandissent en longueur et en largeur, il y a à l'extrémité de chaque os une réserve de cartilage de croissance qui se transformera en os. Quand il n'y a plus de cartilage, on ne grandit plus.

Pour savoir si un enfant doit encore grandir beaucoup, le médecin peut faire une radiographie d'un os du poignet et de la main pour voir s'il y a encore beaucoup de cartilage.

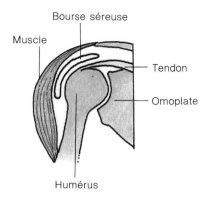

Articulation de l'épaule

Bourse séreuse

Muscle

Tendon

Omoplate

Humérus

La moelle osseuse. Le deuxième rôle des os est également très important puisqu'ils fabriquent les globules rouges et blancs indispensables à notre vie. Cela se passe au cœur même des os, dans la moelle osseuse.

Le reste de l'os est fait de phosphore et de calcium, c'est pour cela que les enfants doivent manger beaucoup de laitage et de poisson afin de faire grandir leurs os. Le soleil nous aide à fabriquer de la vitamine D qui permet aux os de fixer le calcium apporté par la nourriture.

Les muscles

Les muscles sont commandés par les nerfs ; quand le système nerveux leur donne l'ordre de se contracter, les muscles obéissent. Ce sont les muscles qui

font bouger les os à chaque fois que nous faisons un mouvement. Les muscles sont un peu comme des habits pour les os.

Il faut beaucoup d'énergie pour faire travailler ses muscles. Bien manger avant de faire du sport, et boire du jus de fruit quand on est fatigué par un effort physique.

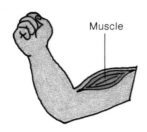

Muscle

La colonne vertébrale

Sans elle, nous ne tiendrions pas debout. Elle se compose de 26 os, les vertèbres, empilés les uns sur les autres.

La colonne n'est pas raide, elle a des courbures naturelles. Parfois, ces courbures se déforment ou disparaissent.

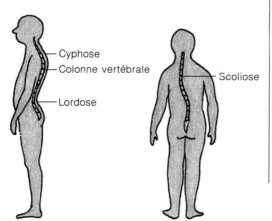

Cyphose
Colonne vertébrale
Lordose
Scoliose

La scoliose

C'est la colonne qui se tord en forme de S. Quand on se tient mal en classe, un peu de travers, le dos prend de mauvaises habitudes, comme un mauvais pli sur un vêtement, et il faut le corriger très vite avec l'aide d'un kinésithérapeute.

Si on attend trop longtemps, on risque d'avoir une vraie scoliose plus tard, et de rester en forme de S pendant toute sa vie ! Mais parfois le mauvais pli se prend dans le ventre de la mère ou pendant l'accouchement, c'est alors plus difficile à corriger. La scoliose s'aggrave quand on est en période de croissance, bien surveiller.

Un kinésithérapeute est quelqu'un qui soigne par le mouvement (kinési : mouvement, thérapeute : celui qui soigne).

La cyphose

C'est une autre déformation de la colonne qui fait une bosse vers l'arrière du dos.

La lordose

C'est le contraire de la cyphose. Le dos fait un creux trop creux.

Faire de la gymnastique spéciale avec un kinésithérapeute dans ces trois cas, afin d'empêcher des déformations trop graves.

Fractures

Se casser un os, c'est se faire une fracture. Sa gravité ne dépend pas de la grosseur de l'os cassé. Certains os minuscules sont plus utiles que leurs grands frères.

Faire pratiquer une radiographie pour voir comment l'os est cassé.

Parfois, le médecin devra remettre les deux morceaux face à face pour qu'ils se ressoudent bien. Le plâtre va maintenir l'os immobile pendant le temps nécessaire à sa cicatrisation. D'autres fois, il faudra faire une opération et fixer les os avec des clous, des plaques et des vis. Quand l'os sera redevenu solide, il faudra réapprendre aux muscles à travailler en faisant de la rééducation.

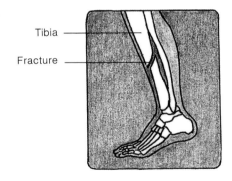

Tibia

Fracture

Entorses

On fait un mouvement trop brusque, on a la tête dans les nuages et les poignets, les chevilles, les coudes et les genoux ne suivent pas.

Les os sont reliés entre eux par des tendons et des ligaments. C'est ceux-ci qui sont étirés ou même parfois déchirés.

Quand cela fait très mal sur le moment, il faut toujours se méfier, même si la douleur se calme pendant un certain temps.

 Mettre des glaçons dans un sac plastique, les entourer d'une serviette et poser sur l'endroit qui fait mal, bouger le moins possible l'articulation et ne pas prendre appui dessus.

 Toujours voir un médecin.

Entorse légère. Le médecin donnera des anti-inflammatoires et mettra l'articulation au repos pendant quelques jours.

Entorse grave. L'articulation gonfle beaucoup et devient bleutée, le médecin sera peut-être obligé de la plâtrer pour qu'elle reste complètement immobile.

 Souvent une rééducation est nécessaire pour réapprendre à l'articulation, aux tendons et aux muscles à travailler ensemble.

Foulures

C'est ainsi qu'on appelle quelquefois les entorses légères. C'est pour cela que l'on dit parfois des gens qui ne se fatiguent pas au travail qu'ils ne se foulent pas.

Courbatures

Quand on a beaucoup marché ou couru, il arrive qu'on ait mal partout. Parfois, on a l'impression d'avoir fait peu d'efforts, mais on fait travailler des muscles que l'on n'utilise pas d'habitude, par exemple quand on commence à monter à cheval ou à skier. Les muscles fonctionnent comme des petits moteurs. Ils prennent leur énergie dans le sucre qui circule dans le sang et produisent des déchets au fur et à mesure qu'ils la brûlent. Normalement, ces déchets sont éliminés, mais il arrive que le muscle soit un peu dépassé par les événements. Il est débordé de travail et laisse s'accumuler une grande quantité de son déchet principal, l'acide lactique. C'est cet acide en quantité anormale dans le muscle qui nous fait mal.

👉 Le mieux, c'est d'essayer de ne pas avoir de courbatures en faisant du sport régulièrement. Quand on sait que l'on va avoir un gros effort physique à faire, on peut prendre de la vitamine B1 + B6 qui empêche les courbatures de survenir.

Quand les courbatures sont là, se faire masser tout doucement, prendre un bain chaud et de l'aspirine. Se forcer à bouger même si ça fait mal.

Crampes

Ce sont des contractions du muscle : il se tend à fond et il reste coincé, ce qui fait très mal. Tous les muscles peuvent avoir des crampes. Les points de côté sont des crampes du diaphragme. Le diaphragme est un grand muscle qui sépare les poumons et le cœur du ventre quand il s'abaisse nous inspirons ; quand il se soulève nous expirons.

Plusieurs choses peuvent provoquer des crampes, le manque de sel, de potassium, de magnésium ou un manque d'afflux de sang.

👉 Les crampes les plus fréquentes sont celles des mollets et des pieds. Il faut essayer d'étirer le muscle qui fait mal en le faisant travailler. Pour le mollet et le pied, on se met tout de suite debout et la crampe passe très vite.

Comment ça va
les plaies, les bosses?

La bosse • les bleus • les blessures • les échardes • les coupures
les saignements de nez • le furoncle • le panaris • les brûlures
les coups de soleil • les ampoules • les engelures • les gerçures
les verrues • les piqûres • S.O.S. dangers

Ce sont les petits malheurs de la vie, ceux qui provoquent l'émotion de toute la famille. Après leur passage, on n'est plus tout à fait le même, puisqu'on en garde presque toujours le souvenir : la cicatrice. Quand on s'ennuie, on peut faire l'inventaire de ses petits bobos, et de ses belles cicatrices. Au fur et à mesure qu'on grandit, on devient plus prudent, ce qui n'empêche pas de sauter trois marches d'un seul coup dans l'escalier pour se ramasser une belle bosse et des bleus partout ! Bien sûr, ça fait mal de se faire mal ! Mais c'est aussi une bonne occasion de se faire soigner et chouchouter un peu.

La peau

La peau est un organe sensible et qui respire. Elle nous met en relation avec le monde extérieur autant que nos yeux, notre nez, nos oreilles et notre bouche. Toucher et être touché est très important et émouvant. Elle est imperméable. Elle nous protège contre un tas de microbes, contre les objets pointus, coupants et contre tout ce qui brûle.

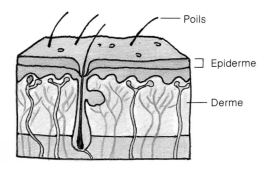

Poils

Epiderme

Derme

La bosse

Il ne faut pas la confondre avec la bosse des maths. Celle-là ne fait pas mal du tout.

On a beau avoir la tête dure, quand on se cogne fort, il y a une drôle de petite boule qui apparaît. C'est la bosse. Elle aussi a la tête dure. Les petits vaisseaux qui transportent le sang et la lymphe dans la profondeur de notre peau sont abîmés. Le liquide se répand, ça gonfle. La bosse est toute chaude. A l'intérieur, de grosses cellules arrivent, réparent les dégâts en avalant tous les débris et en

les digérant. Les vaisseaux cicatrisent en quelques jours et la bosse disparaît.

 Poser un gant frais et des glaçons sur la bosse pour calmer l'inflammation.

Prendre tout de suite une dose de granules d'arnica et appliquer de la pommade à l'arnica.

Les bleus

Ils nous en font voir de toutes les couleurs, les bleus ! Pour les bleus, il se passe à peu près la même chose que pour les bosses, sauf que ce sont les vaisseaux qui transportent le sang qui sont écrasés. Le sang s'échappe et forme un petit lac sous la peau. C'est ce qui donne cette jolie couleur bleutée. Le sang devient dur et forme des petits grumeaux qui bouchent les vaisseaux. Ce mécanisme très précieux s'appelle la *coagulation* et empêche le corps de se vider de tout son sang quand on se blesse.

Dans les jours qui suivent le coup, le bleu passe par toutes les couleurs... puis il disparaît comme par magie.

Attendre que ça s'arrange tout seul. Si la poche de sang est vraiment trop grosse, le médecin peut la percer.

Une dose d'arnica est très utile comme à chaque fois que l'on se blesse ou se cogne.

Blessures, coupures

On est maladroit, on tient ses ciseaux de travers... et toc, on est coupé, entaillé, troué quelque part. Le sang coule. La grande aventure de la cicatrisation va pouvoir commencer. Aussitôt que la coupure est faite, c'est le branle-bas de combat sous la peau. D'abord, les petits vaisseaux se dilatent et laissent couler des substances et des cellules nécessaires à la cicatrisation. Un bouchon se forme qui remplit l'espace de la plaie : le sang ne coule plus.

Des microbes amis viennent nettoyer toutes les parties mortes.

Quand tout est bien réparé, la peau se referme par-dessus. En quelques jours tout est fini.

Bien nettoyer une blessure même si elle n'a pas l'air sale, parce que tous les microbes peuvent entrer par le petit trou qui a été fait dans la peau. Retirer les débris de terre, de verre ou de bois qui ont pu s'introduire dans la plaie.

Faire couler beaucoup d'eau propre sur la blessure, ensuite la laver à l'eau savonneuse, mettre un désinfectant.

La plaie n'est pas profonde : la recouvrir d'un petit pansement pour qu'elle soit à l'abri de l'air et la laisser se refermer toute seule.

La plaie est plus importante : aller voir un médecin ou une infirmière.

Les points. Quand c'est nécessaire, on rapproche les deux bords de la plaie bien serrés soit avec du fil, soit avec des petites bandes collantes spéciales. La cicatrication sera bien plus jolie et la guérison plus rapide.

Si la blessure a été salie par de la terre ou un objet rouillé, là où se plaisent beaucoup les microbes du tétanos, le médecin refera un vaccin antitétanique si le dernier vaccin date de plus de cinq ans.

Si la plaie est très large, on mettra simplement un pansement gras, sans recoudre et une poudre spéciale qui aide la peau à se nettoyer elle-même.

Echardes, épines

Elles profitent d'un geste un peu brusque pour se faufiler sous la peau.

Les retirer avec une aiguille ou une pince à épiler bien désinfectée avec de l'alcool, et passée à la flamme d'une allumette. Désinfecter soigneusement avant et après.

Saignement de nez

Saigner du nez, c'est impressionnant, mais sans aucune gravité. Le plus souvent, il s'agit d'un petit vaisseau sanguin qui s'est écorché.

Cela peut être aussi une infection des sinus ou une maladie du sang. Les enfants qui saignent du nez ont souvent gratté l'intérieur avec le bout du doigt !

 Ne pas s'affoler et se moucher un bon coup pour éliminer tous les petits caillots de sang. Après, pincer le nez très fort en penchant la tête en arrière pendant un vrai quart d'heure sans desserrer les doigts, sinon tout serait à recommencer.

 Si les saignements de nez reviennent souvent, consulter un docteur.

Le furoncle

C'est l'infection de la racine d'un poil, il se présente comme un petit rond rouge gonflé autour d'une poche de pus blanchâtre, c'est douloureux. Le pus est formé de cellules et de microbes morts. Au centre, il y a un point plus foncé, la racine du poil mort, le bourbillon. Pour que le furoncle guérisse, il faut que ce bourbillon parte.

Nettoyer soigneusement le furoncle avec de l'eau savonneuse, puis avec de l'alcool et le laisser tranquille le plus possible sous un pansement. Attention, ne

jamais appuyer sur le furoncle ni presser dessus pour le percer, on risquerait de faire éclater la poche et d'envoyer des petites fusées de pus partout sous la peau.

 Ne jamais essayer de percer soi-même un furoncle avec des ciseaux ou une épingle, on pourrait provoquer une infection très grave.

Quand on a un furoncle, il faut se laver les mains très souvent et très soigneusement, sinon on risque d'avoir des furoncles sur tout le corps.

Le panaris

C'est l'infection du bout d'un doigt, du pourtour d'un ongle. Il survient souvent après une petite blessure, une piqûre ou une écharde. Le bout du doigt est rouge et enflé, et ça fait mal.

 Tremper son doigt dans du désinfectant plusieurs fois par jour. Le protéger avec un pansement.

 S'il y a une petite zone blanche sous la peau, c'est que le pus s'est installé.

Voir le médecin qui donnera peut-être des antibiotiques et des médicaments contre l'inflammation.

S'il y a du pus, il coupera la peau avec un bistouri pour qu'il sorte. Le panaris est toujours à prendre au sérieux car, si l'infection remonte dans la main, celle-ci peut être abîmée pour toujours.

Brûlures

La peau ne peut pas supporter une température trop élevée. On peut se brûler de bien des façons :
– avec le soleil ;
– avec du liquide chaud (attention aux liquides brûlants) ;
– avec du feu, du métal brûlant, de l'électricité (les prises de courant sont très dangereuses) ;
– avec des produits chimiques : les produits pour faire le ménage, le ciment ou la chaux.

Les brûlures peuvent être plus ou moins graves : on les classe par degrés.

Les brûlures du premier degré : la peau est seulement rouge. Mettre de l'alcool à 90° ou même du whisky ou de l'eau de cologne, pour calmer la douleur et désinfecter : appliquer une bonne pommade.

Les brûlures du deuxième degré : il y a des cloques à la surface de la peau.

Nettoyer à l'eau, mais ne mettre ni alcool ni mercurochrome, qui empêcherait de voir les progrès de la cicatrisation. Recouvrir avec un pansement gras et une compresse propre pour protéger.

Les brûlures du troisième degré : la peau est attaquée profondément, elle est noirâtre. Ne rien mettre, emmener de toute urgence le malade chez le médecin.

Coups de soleil

C'est un peu comme une brûlure au premier degré. Quand on a été très imprudent, longtemps, on peut atteindre le deuxième degré. Normalement la peau se protège toute seule et fabrique de la mélanine. C'est un produit qui vient sous la surface de la peau qui lui donne sa couleur bronzée et la rend plus résistante. Mais il faut lui laisser le temps de réagir.

☞ Au début de l'été ou à la neige, il faut s'exposer progressivement au soleil. Sinon la peau devient rouge et pèle.

☞ Même indirectement, le soleil peut donner des coups de chaleur. Attention au soleil caché derrière les nuages, aux voitures surchauffées. Pensez aux chapeaux !

Quand on a pris un petit coup de soleil, on a la peau toute rouge, elle « brûle », puis elle pèle.

✚ Laisser couler dessus de l'eau fraîche. Appliquer des compresses d'eau vinaigrée. Boire beaucoup, car le corps a perdu de l'eau, il est déshydraté. Quand le coup de soleil est très sérieux, on a mal à la tête et des nausées : faire ce qui a été indiqué précédemment et voir le médecin qui pourra ordonner des médicaments contre l'inflammation.

Ampoules

Elles surviennent quand on a trop frotté la peau, dans une chaussure neuve par exemple. Deux couches de peau se séparent entre elles, il y a un peu de liquide, cela forme une bulle.

 Percer avec une aiguille et un fil bien désinfectés si l'ampoule est grosse et gênante. Sinon attendre en mettant un peu d'alcool ou du mercurochrome. Protéger la zone irritée avec un petit pansement. Ne jamais arracher la peau.

Engelures

Ce sont des espèces de bourrelets violacés. Elles surviennent sur les doigts des pieds et des mains quand il fait très froid et humide. Elles sont très douloureuses.

D'abord essayer de les éviter en protégeant soigneusement les mains et les pieds du froid et de l'humidité.

 Tremper ses mains dans l'eau bien chaude puis bien froide alternativement. On dit aussi que les tremper dans une soupe de céleri est un remède merveilleux... en tout cas, ce n'est pas dangereux.

 Si les engelures sont graves, ouvertes comme des blessures, consulter un médecin.

Gerçures

Quand la peau a été exposée au froid ou à un frottement humide, on peut avoir de toutes petites crevasses qui font très mal : ce sont les gerçures.

 Supprimer la cause de l'irritation. Nettoyer à l'eau tiède. Mettre une pommade grasse. Protéger par un pansement ou un vêtement. Ne pas mettre de l'alcool ou du mercurochrome, cela dessèche beaucoup.

Verrues

Elles font une petite bosse indolore comme un bourgeon à la surface de la peau.

Les verrues plantaires : ce sont des plaques épaisses dans la plante du pied, elles sont douloureuses car on appuie dessus à chaque pas. Les verrues sont dues à des virus. On les attrape souvent en allant à la piscine. Mais on a remarqué qu'elles surviennent aussi à des moments bien particuliers, quand on est un peu malheureux par exemple.

 Le médecin a plusieurs façons de les faire disparaître :
– les électrocoaguler avec un bistouri électrique ;

– les détruire avec de la neige carbonique, qui est tellement froide qu'elle brûle la verrue ;
– les détruire en mettant une pommade qui use la peau et fait partir la verrue avec ;
– on peut aussi prendre des comprimés qui tuent les virus, mais ça ne marche pas toujours.

Il arrive parfois qu'elles partent toutes seules sans prévenir, sans qu'on sache pourquoi. Autrefois, certaines personnes disaient qu'il fallait faire pipi dessus chaque jour à la même heure pour les faire disparaître. On peut toujours essayer !

Piqûres d'insectes

Ils piquent ou ils mordent parce qu'ils ont faim ou peur. Les moustiques, eux, attaquent pour pomper le sang ; les guêpes, les abeilles, les araignées se défendent. L'abeille elle-même meurt après avoir piqué quelqu'un.

Les piqûres d'insectes ne sont en général pas dangereuses. Mais si on est piqué dans la bouche ou plusieurs fois sur le visage par une guêpe, un frelon ou une abeille, il faut aller chez le médecin.

S'il y a enflure dans la bouche, aller immédiatement chez le médecin comme dans le cas de piqûres nombreuses. Enlever le dard s'il est resté, désinfecter, ne pas se gratter, approcher une cigarette allumée le plus près possible de la piqûre et la laisser le plus longtemps possible (ça brûle un peu) : la chaleur détruit le venin. Prendre des granules d'un médicament qui s'appelle Apis (*apis* = abeille en latin).

Ne pas oublier que l'été, les tartines sucrées et les fruits attirent guêpes et abeilles. Certains parfums (lavande et citronnelle) éloignent les insectes.

S.O.S. dangers

Il y a des petits accidents qui arrivent par imprudence alors qu'on se croit bien à l'abri dans la maison. Il y a certaines choses dangereuses auxquelles même les grandes personnes ne font pas toujours attention.

Etouffements. Attention aux cacahuètes, aux petits jouets, aux gros bonbons qu'on se met dans la bouche.

Si on les avale de travers, ils peuvent rester bloqués dans la trachée et provoquer la mort par étouffement.

Se mettre de toute urgence derrière le malade, entourer le torse avec les bras en croisant sous son diaphragme, serrer en poussant très fort et brusquement vers le haut. Répéter plusieurs fois l'opération si nécessaire.

Attention aux sacs en plastique. Ils ne laissent pas passer l'air. On peut mourir étouffé en mettant sa tête dans un sac en plastique. Il ne faut jamais le faire, même pour jouer.

Si quelqu'un s'étouffe, déchirer le sac ou le découper très vite si on n'arrive pas à l'enlever.

Accidents domestiques

Attention aux poisons. Les produits de nettoyage sont tous toxiques. Ne pas les avaler, ni les mettre dans les yeux, ni sur la peau. Les médicaments peuvent être dangereux. Ne jamais les prendre sans l'accord d'une grande personne.

En cas d'empoisonnement, ramasser le reste du produit. Ne pas donner de lait, ni d'eau, ni d'aucun médicament. Ne pas faire vomir, ce qui peut faire plus de mal que de bien.

Téléphoner d'urgence à un médecin ou au Centre anti-poison de Paris. Tél. : 40.37.04.04. Pour la province, faire avant le 16.1. Répond 24 h sur 24. Mais les pompiers ou la police connaissent les numéros de téléphone des centres anti-poisons de chaque grande ville.

Attention à la fée électricité. Le courant électrique peut donner des décharges mortelles. Electrocution :
— ne pas mettre les doigts ou des objets dans les prises ;
— ne pas laisser les rallonges branchées après usage ;
— ne pas toucher des appareils électriques ;
— ne jamais utiliser un appareil électrique quand on est mouillé, même un tout petit peu ;
— utiliser un appareil téléphonique dans son bain est très dangereux. Quand on voit cela au cinéma, l'appareil n'est jamais branché.

Apprendre à couper le courant. C'est la première chose à faire en cas d'accident, quand on est mouillé légèrement ou quand il y a de l'eau sur le sol.

Attention aux cuisines. La cuisine est un lieu magique qu'il faut bien connaître pour en éviter les dangers :

– prendre garde aux cuisinières ;

– ne pas toucher la porte du four, ça brûle ;

– ne pas tourner les boutons, le gaz s'échappe ;

– ne pas laisser dépasser la queue des casseroles, le contenu se renverse ;

– prendre garde à tous les appareils ménagers, couteaux, mixers, broyeurs, ça coupe ;

– toujours nettoyer les sols, les glissades sur le carrelage sont dangereuses.

 En cas d'accident, appeler immédiatement le médecin ou les pompiers.

Les poux, les puces
et compagnie...

Ils sont plusieurs, comme ça, à s'inviter chez nous, sans nous demander notre avis. Un beau jour, on se réveille, et ils sont là. Pique et pique... et gratte ! Les puces, les poux, les aoûtats et tous ces parasites minuscules qui nous compliquent la vie, comme ces moustiques à la tête dure qui nous empêchent de dormir. Parfois il arrive qu'on ait besoin d'un plus petit que soi. Mais ceux-là, on a surtout besoin de s'en débarrasser le plus vite possible !

Au pou!

Ce sont de petits insectes aplatis de 1 à 3 millimètres de long. Ils n'ont pas d'ailes, sont gris rosâtre, et ont six pattes pleines de crochets pour pouvoir s'agripper le mieux possible à nous et sucer notre sang qui est leur seule nourriture. Ils ne vivent que sur les humains, dans leurs cheveux, et ils pondent des œufs : *les lentes*. Au bout de six jours, la lente donne naissance à un bébé pou qui s'accroche à son tour et qui commence à sucer notre sang. Comme ils n'aiment pas les têtes trop souvent lavées, le shampooing les dérange beaucoup. Ils s'installent donc d'abord dans les cheveux pas très propres, puis ils passent d'une chevelure à l'autre, comme Tarzan de liane en liane. Quand on a des poux, la tête gratte beaucoup.

☞ Demander conseil au pharmacien qui vend des lotions très efficaces contre eux. Parfois, on est obligé de couper ses cheveux longs. Dans une même classe, quand on a trouvé un pou dans une tête, il vaut mieux traiter tout le monde, avant que celui-ci ne ponde des œufs, et que les poux se mettent à faire de l'escalade dans toutes les chevelures !

Comme les lentes vivent longtemps, il faut se laver les cheveux avec le shampooing anti-pou pendant plusieurs semaines. Et se peigner soigneusement avec un peigne aux dents fines.

Les puces

Ce sont les amis des poux. Elles ont les mêmes goûts ! Elles aussi sucent le sang des hommes, et en plus, elles ne rechignent pas à boire celui des bêtes. Leur ennemie numéro un, c'est la propreté. Les puces mesurent 2 à 3 millimètres, et elles sautent comme des athlètes à 30 centimètres de haut ! Elles peuvent aller se nicher dans les lames du parquet ou dans les matelas. On en attrape en fréquentant quelqu'un qui en a lui-même. La puce se met à sauter sur vous et si elle vous trouve à son goût, elle vous adopte.

On commence à se gratter beaucoup et quand on regarde la peau, on voit la trace minuscule de leur morsure.

☞ Désinfecter toutes ses affaires et sa literie avec du DDT ou un autre insecticide vendu dans les drogueries. Laver ce linge à l'eau très chaude.

Les aoûtats

Ce sont de minuscules araignées qui vivent dans l'herbe. Mais elles aiment bien s'installer chez les humains, surtout là où les vêtements frottent et dans les plis des genoux et des coudes : on les attrape en s'allongeant dans l'herbe.

On se gratte beaucoup et on peut voir des petits boutons rouges entourés d'une zone rose un peu gonflée.

Bien se laver et attendre que ça passe. Si on se gratte vraiment beaucoup, se badigeonner avec un produit acheté en pharmacie.

On peut aussi demander au pharmacien des comprimés contre les démangeaisons.

La gale

C'est une maladie provoquée par un minuscule parasite appelé sarcopte. On ne le voit pas à l'œil nu. Il creuse des galeries sous notre peau pour se déplacer. On voit alors de très petits boutons et la trace de ses souterrains rouges aux endroits où on se gratte. Il y en a surtout entre les doigts et les orteils. C'est une maladie très contagieuse.

Quand quelqu'un a attrapé la gale dans une maison, il en fait cadeau à tout le monde.

Se badigeonner tout le corps avec un produit très efficace vendu en pharmacie. Ça pique un peu et ça sent mauvais, mais c'est nécessaire pour venir à bout de cet « invité » indésirable.
Il faut aussi désinfecter tout le linge de la maison en versant de la poudre insecticide dessus (DDT).

Enfermer tous ses habits pendant 24 heures dans une valise pleine de cette même poudre.

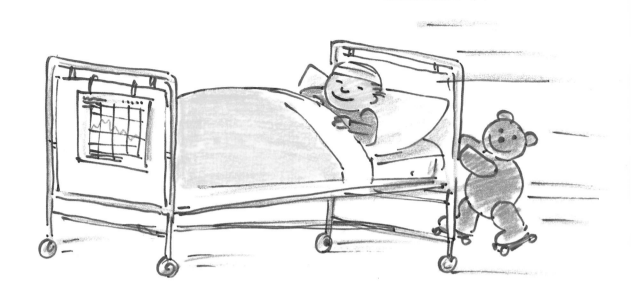

Comment ça va,
à l'hôpital?

Parfois, vous êtes attrapé par une maladie un peu plus grave, un peu plus difficile à reconnaître, alors le médecin préfère pour plus de sécurité vous envoyer faire un petit séjour à l'hôpital. Si on a le cœur un peu serré, il faut se dire que, là-bas, on n'est pas tout seul! Il y a des médecins, des infirmiers, des infirmières qui s'occupent de vous nuit et jour et qui, pendant tout le séjour, vous servent un peu de parents. Il y a aussi d'autres enfants malades qui seront bientôt des amis. Quand on revient guéri de ce petit voyage, on a plein de choses à raconter sur la vie là-bas, sur la santé, sur soi. On a pris quelques centimètres en taille et en expérience.

Une maison où l'on soigne

Prêts à agir 24 h sur 24, les hôpitaux accueillent les malades qu'on ne peut pas soigner à la maison.

Ce sont des sortes d'hôtels où travaillent des infirmiers et des médecins. Ils restent là en permanence et se relaient pour dormir afin de surveiller la santé des gens.

Les urgences

Une équipe toute prête attend les malades 24 heures sur 24 au cas où il y aurait une urgence, c'est-à-dire quelqu'un qui aurait besoin d'être soigné ou opéré tout de suite.

L'équipe :
– les médecins ;
– les étudiants en médecine pour lesquels l'hôpital est aussi une école ;
– les infirmières et les infirmiers qui sont dirigés par la surveillante ou le surveillant. C'est un personnage très important qui assure la bonne marche du service.

Quand on est à l'hôpital, toute personne est importante, car un vrai sourire est aussi un bon médicament.

Les spécialistes

L'hôpital sert aussi à regrouper des spécialistes. Aucun médecin ne peut con-naître toute la médecine à fond. Il faut donc que certains d'entre eux se consacrent à certaines maladies ou à une partie du corps. Ce sont des spécialistes. Par exemple : les radiologues font les radiographies.

Les chirurgiens font les opérations. Les ophtalmologistes ne s'occupent que des yeux.

Le fait d'être rassemblés à l'hôpital leur permet de faire des recherches tous ensemble.

La consultation

Pour soigner certaines maladies, il faut un matériel très coûteux et quelquefois très encombrant. Alors le médecin vous envoie en consultation à l'hôpital pour avoir l'avis d'un spécialiste sur une maladie précise. Il peut faire faire des examens sur place ou bien nous garder quelques jours à l'hôpital pour en savoir plus et mieux nous soigner : c'est l'hospitalisation.

L'hospitalisation

Quand on est hospitalisé, on emporte dans sa valise de quoi vivre le plus confortablement possible. Pyjamas, chaussures, objets de toilette et puis surtout, les choses que l'on aime : son jouet préféré, un programme de télévision si on peut en avoir une, des livres, du papier, des crayons de couleurs et des cartes postales pour donner des nouvelles.

L'opération

Le bloc opératoire. C'est la salle d'opération. Elle est souvent couverte de carrelage facile à nettoyer, car tout doit être très propre du sol au plafond. Les infirmières qui aident les chirurgiens pendant l'opération s'appellent les panseuses. Le mot vient de pansement. C'est l'anesthésiste qui endort le malade et qui le surveille pendant toute la durée de l'opération.

S'endormir. Souvent, le malade arrive au bloc opératoire un peu endormi parce qu'on lui a fait une première piqûre une heure avant dans sa chambre. Il est tout nu et enveloppé dans un drap. Si l'endroit à opérer a des poils ou des cheveux, les infirmières l'ont rasé auparavant.

Les anesthésistes installent le malade et lui posent une perfusion. C'est une petite aiguille que l'on introduit dans une veine et qui est reliée par un long tube de plastique à une bouteille en verre pleine d'eau sucrée, le sérum glucosé. A ce sérum, on va ajouter tous les médicaments nécessaires. Au lieu de repiquer dans la veine à chaque fois. C'est comme cela que l'anesthésiste endort son malade. Ça va tellement vite qu'avant d'avoir fini sa phrase, on tombe endormi d'un seul coup !

L'opération. *Les chirurgiens* se lavent les mains jusqu'à ce que leur peau devienne toute rose ! C'est très important que tout soit propre, pour empêcher les microbes de profiter de l'occasion.

La panseuse donne aux chirurgiens des vêtements tout propres, des chapeaux, des protège-barbes et des gants stériles, c'est-à-dire sans aucun microbe. Quand ils sont prêts, ils entrent dans la salle d'opération.

L'opération peut commencer. On recouvre tout le corps de linges stériles, sauf la partie à opérer. Ces linges que l'on appelle champs opératoires ont une jolie couleur verte ou bleue, car le blanc ferait mal aux yeux des chirurgiens. Puis les chirurgiens désinfectent soigneusement la peau avant de la couper.

Quand la peau est ouverte, le chirurgien va chercher le ou les organes malades. Il arrange ce qui ne va pas ou il retire ce qu'il ne peut pas réparer. Quand il a fini, il referme tout en faisant des petits nœuds très solides. Il fait bien attention à ce que la cicatrice soit la plus jolie et la plus petite possible. Quand tout est terminé, on emmène le malade encore endormi dans une salle de réveil où il sera bien surveillé. Le réveil n'est pas très agréable, on a l'impression de ne plus savoir qui on est, on a soif et la cicatrice commence à tirer. Il faut plusieurs heures pour se réveiller tout à fait.

Une journée à l'hôpital

Quand on arrive à l'hôpital, on vous loge dans le service des enfants ; là, on trouve d'autres enfants qui sont malades. Ça rapproche et on devient très vite copains. Parfois, on peut garder son papa ou sa maman avec soi. C'est très réconfortant.

Dans chaque chambre, on a un ou plusieurs lits, un petit placard, une table de nuit, un cabinet de toilette avec un WC tout à côté. On n'est jamais très loin de la pièce où se trouvent les infirmières, ce qui est rassurant.

7 heures du matin, il est déjà temps de se soigner.

D'abord, à jeun, on fait les prises de sang et les analyses d'urine. On prend aussi sa température et enfin, on peut prendre un bon petit déjeuner au lit comme si c'était les vacances.

Puis, c'est l'heure de la toilette qu'il faut faire très soigneusement.

9 heures, le médecin vient prendre de vos nouvelles. Il note toutes les informations dans son dossier et sur le tableau qui est accroché au pied du lit.

11 heures, c'est la grande visite avec les médecins, les étudiants, les infirmières et la surveillante. C'est à ce moment-là que se prennent les décisions pour les soins médicaux, les médicaments, les analyses.

Après la visite, c'est l'heure du déjeuner au lit ou dans la salle à manger si on peut se lever. Les visiteurs arrivent, parents ou amis mais, dans certains hôpitaux, pas les enfants parce que l'on pense qu'ils amènent plus de microbes avec eux que les adultes et qu'ils font trop de bruit.

Quand on n'a pas de visite, il faut s'informer de tout ce qu'on peut faire pour bien passer le temps. Il y a des salles de jeux, un service de bibliothèque et des amis qu'on peut découvrir très vite. Pour les enfants qui restent longtemps, il y a parfois une salle de classe et une institutrice.

Quand il faut aller faire un examen, une radio et qu'on est fatigué, on nous pousse sur un petit fauteuil roulant à travers l'hôpital.

Le soir, après le dîner qui a lieu de bonne heure, on a encore le temps de lire un peu ou de regarder la télévision. Il n'est pas toujours facile de s'endormir à l'hôpital avec tous ces bruits et ces lumières, mais c'est bien rassurant de savoir que les médecins et les infirmières ne nous abandonnent pas.

Les examens pour reconnaître les maladies

Pour reconnaître les maladies, le médecin se conduit un peu comme un détective.

D'abord il écoute le malade, qui peut lui donner déjà beaucoup d'informations intéressantes. Qu'est-ce qui se passe ? Où ça se passe ? En un mot, comment ça va la santé.

Puis il examine tout son corps. Il ausculte le cœur et les poumons avec son stéthoscope. Il prend la tension artérielle. Les yeux, la peau, la langue, la façon de se tenir disent beaucoup de choses quand on est malade. Si le médecin veut en savoir plus pour reconnaître la maladie, il demande des examens.

La prise de sang. L'infirmière, avec une toute petite aiguille, pique une veine, là où elle est bien en vue au creux du coude, en général. Le sang coule dans un petit flacon stérile. Ce sang, on va l'examiner de très près avec toutes sortes de machines et de microscopes. Il y a même une boîte de culture dans laquelle les microbes qui sont dans notre sang vont se reproduire très vite ; on pourra ainsi mieux les identifier. L'examen de sang apporte de nombreux renseignements sur les usines de la vie et sur les infections.

Se décontracter, respirer calmement pour faciliter l'écoulement du sang. Ne pas regarder ce que fait l'infirmière (sauf si on en a très très envie).

L'examen d'urine. On recueille l'urine dans un récipient stérile ; là aussi, les examens servent à rechercher les microbes et à s'informer sur le fonctionment des reins. Par exemple, on cherche du sucre dans le sang ou dans les urines pour dépister une maladie appelée *diabète*.

Se laver soigneusement le sexe pour qu'il n'y ait pas de microbes. Le premier jet emporte les microbes qui sont à l'entrée du sexe. Recueillir le deuxième jet.

Mettre la bouteille au réfrigérateur. Dans une bouteille chauffée les bactéries se reproduisent si vite qu'elles peuvent fausser l'analyse.

Les radiographies. On vous place derrière une machine qui fonctionne comme un grand appareil photographique. Les rayons ont la propriété de traverser la peau et de photographier ce qu'il y a dans notre corps.

Pour examiner un organe creux, on le remplit d'un liquide opaque qui va le faire apparaître sur la photo et dessiner ses contours, exactement comme lorsqu'on fait un moulage de plâtre.

Par exemple, pour voir l'estomac travailler, on vous fait avaler un liquide qui sera photographié pendant la digestion.

Les radiographies sont extrêmement utiles mais il ne faut pas trop en faire parce que les rayons X peuvent être dangereux, surtout pour les bébés dans le ventre de leur mère.

L'échographie. C'est un appareil qui utilise les ultra-sons un peu comme font les dauphins avec leur radar spécial. Ils donnent une sorte de carte du corps qui apparaît sur un écran de télévision.

C'est un examen indolore.

L'endoscopie. On fait entrer dans le corps, par la bouche, le nez ou l'anus, un long tube très mince et très souple, en fibre de verre. A l'extrémité du tube, il y a une très forte lumière qui permet au médecin de voir à l'intérieur du corps, de prendre des photos et de faire des films.

C'est une invention récente, qui remplace de plus en plus souvent les radiographies.

Le scanner utilise les rayons X plus un ordinateur, il permet de voir des choses qu'on ne verrait pas à la radio.

La résonance magnétique nucléaire est le plus moderne des examens. Il fait bouger les éléments constituant la cellule et cela donne des images très précises.

Comment ça va la nuit?

Cauchemars • pipi au lit • insomnies • somnambulisme.

Pendant la journée, le cerveau a beaucoup de travail, c'est lui qui décide de tout. Quand il veut se reposer, se délasser, il provoque le sommeil, il endort le corps. Les hommes ont réglé leurs principaux rythmes de vie sur celui de la planète. Nous dormons plutôt la nuit quand le soleil, lui aussi, est couché. Peut-être certains enfants n'aiment pas se coucher quand les grandes personnes sont encore debout, parce qu'elles sont un peu leur soleil. Quelle horreur d'être mis au lit quand on n'a pas sommeil !

Le sommeil en tranches

Mais s'endormir tranquille, quelle aventure ! Un vrai voyage au pays des rêves. On s'enfonce dans un sommeil de plus en plus profond. C'est comme si on descendait les marches d'un grand escalier :
– sur la première marche et la deuxième marche, on entend encore ce qui se passe.

On peut répondre à une question toute simple comme « Tu dors ? » ;
– sur la troisième et la quatrième marche, on ne bouge plus, on est très calme ;
– la cinquième marche est une étape extraordinaire, le visage s'anime, les yeux bougent beaucoup sous les paupières, le cerveau émet des ondes très rapides. Il travaille à nouveau mais d'une autre façon : il rêve. Cela s'appelle le sommeil paradoxal. C'est important, indispensable à l'homme et à l'animal. Les bébés dans le ventre de leur mère ont beaucoup de sommeil paradoxal, ça leur permet de se développer.
– à la fin du sommeil paradoxal, on pousse un grand soupir et là, on peut choisir de se réveiller ou de repartir pour une nouvelle tranche de sommeil de 90 minutes.

C'est le meilleur moment pour se réveiller. Mais si le réveil sonne en plein sommeil paradoxal, c'est dur, même si on reçoit un gros câlin ; on a l'impression de revenir de très loin.

Des rêves de toutes les couleurs

Parfois, dans les rêves nous faisons des choses que nous ne pourrions ni ne voudrions faire dans la vie éveillée. On y retrouve ceux qui sont loin, ou bien on fait ou on nous fait des choses terribles.

Les rêves sont des rébus, ce sont des messages que le dormeur s'envoie à lui-même. On peut toujours tirer quelque chose de bon d'un mauvais rêve. La nuit qui suit une bagarre qu'on a perdue, la grosse bête du rêve, c'est peut-être la force qui grandit en nous et qui va nous rendre fort et courageux.

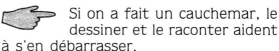 Si on a fait un cauchemar, le dessiner et le raconter aident à s'en débarrasser.

Somnambules, funambules

Certains enfants sont un peu somnambules (ce mot est fabriqué avec le mot sommeil et le mot déambuler, qui veut dire se déplacer). Les somnambules se lèvent et marchent en dormant. On peut faire la conversation avec eux.

C'est une certaine façon de rêver. On raconte des histoires de somnambules marchant sur les toits avec grande habileté. Mais en fait, ils ne vont jamais très loin et si cela existait, ce serait vraiment rare. En général, le somnambulisme disparaît quand on grandit.

👉 Ne pas éclairer, mais reconduire tout doucement le dormeur dans son lit sans le réveiller. Si c'est vraiment un souci, en parler à son médecin qui donnera, peut-être, un médicament.

On peut aussi tout simplement fermer la porte d'entrée à clef pour ne pas se retrouver en pyjama dans la rue.

Rêves mouillés

Le pipi au lit, son nom savant est l'énurésie. Il fait partie des petits malheurs de la nuit. La nuit, tout le monde rede-

vient tout petit, parfois comme des bébés. Faire pipi au lit est alors très agréable : les organes qui servent à éliminer sont aussi des organes de plaisir. Et tout se mélange, un peu comme dans les rêves. C'est normal et cela s'arrange toujours quand on grandit dans son corps et dans son cœur.

👉 Bien se préparer pour la nuit. Un petit jouet ami dans un coin aide toujours.
— Vérifier que l'on peut sortir très vite de son lit et de son pyjama en cas d'urgence. Ne pas hésiter à mettre un petit pot de chambre près de son lit.
— Pour que cela ne devienne pas un drame, on peut s'occuper soi-même de son linge sale.
— Quand cela devient difficile à vivre, il faut en parler à un médecin ou un psychologue.
— Une fausse bonne idée : les appareils électriques qui donnent l'alerte à la première goutte, ils sont la plus mauvaise des solutions.

Soucis de nuit

Le sommeil n'est pas toujours au rendez-vous. Si le soir il ne peut venir, on n'arrive pas à s'endormir, il s'échappe, on se réveille en pleine nuit : ce sont les insomnies.

C'est peut-être une façon de résister à la nuit qui nous fait peur. Peur du noir, peur des rêves, peur d'être seul ou de ne jamais se réveiller. Ou peut-être aussi une façon d'attirer l'attention et d'empêcher les grandes personnes d'être tranquilles entre elles.

Quand ces petits malheurs deviennent trop grands, il faut essayer de comprendre ce qui ne va pas avec la famille ou à l'intérieur de soi.

Les grandes personnes et les médecins ont souvent des petites recettes à nous proposer.

☞ Changer son lit de place dans la chambre, supprimer les barreaux du lit, changer l'heure du coucher, boire une tisane ou un verre de lait chaud sucré avec une pomme (se laver les dents après), enlever une image qui fait peur, mettre une petite veilleuse, mettre du coton dans les oreilles s'il y a trop de bruit ou dire tout ce que l'on a sur le cœur...

Il y a une et mille façons d'apprivoiser la nuit, la plus mauvaise c'est toujours de se réfugier dans le lit de ses parents.

Quand on a regardé un film qui fait peur à la télévision, mieux vaut en parler avec les grandes personnes avant d'aller au lit où on est tout seul.

Bonne nuit

La nuit est une amie. Grâce à elle, notre corps se repose en fonctionnant à un autre rythme. Nos glandes travaillent différemment, les reins en particulier. Certaines choses ne peuvent se passer que la nuit en position allongée : par exemple, si on dort bien, on grandit mieux.

BONNE NUIT.

83

Index

COLLECTION "GRAIN DE SEL"

9 MOIS POUR NAÎTRE
Les aventures du bébé dans le ventre de sa maman
Texte de Catherine Dolto-Tolitch
Dessins de Volker Theinhardt
Grand prix scientifique de la Jeunesse 1986. L'Argonaute Fondation Diderot

BON APPÉTIT LA VIE !
**Diététique junior,
mode d'emploi**
Texte de Claire Trémolières
Dessins de Volker Theinhardt

VIVE LE SOMMEIL
**Connaître, respecter,
aimer son sommeil**
Texte de Catherine Dolto-Tolitch et Jeannette Bouton
Dessins de Volker Theinhardt
Grand Prix ELAN 1987 du meilleur ouvrage pour la Jeunesse

OH ! LES BONNES DENTS
Rire, parler, manger, croquer la vie
Texte de Marc Winnicki
et Anne Vidal
Dessins de Volker Theinhardt

TROTTENT-MENUS
Recettes, bonne cuisine, bonne mine
Texte de Paul-André Tanc
Dessins de Volker Theinhardt

LE CORPS, LE MOUVEMENT
Dans le mouvement de la vie
Texte de Catherine Dolto-Tolitch
et Evelyne Atlani
Dessins de Volker Theinhardt

COLLECTION "MINE DE RIEN"

Dr Catherine DOLTO-TOLITCH
Dessins Joëlle BOUCHER
Textes Octavie BOUSQUET

Mine de rien, sans y penser, en 12 images on apprend à devenir grand

A PARTIR DE 18 MOIS

ON ATTEND BÉBÉ   DORMIR
UN BÉBÉ À LA MAISON   MANGER
PROPRE   LA CRÈCHE
LES DENTS DE LAIT   LA FAMILLE
LES CÂLINS   LES COLÈRES

Dépôt légal n° 10483, juillet 1989.